流域管理的模拟建模

詹姆斯·韦斯特维尔特(美)　著
程国栋　李　新　王书功　译
刘凤景　校

黄河水利出版社

图书在版编目(CIP)数据

流域管理的模拟建模/(美)詹姆斯·韦斯特维尔特(Westervelt,J.)著;程国栋,李新,王书功译.—郑州:黄河水利出版社,2004.2

书名原文:Simulation Modeling for Watershed Management

ISBN 7-80621-762-2

Ⅰ.流… Ⅱ.①詹…②程…③李…④王… Ⅲ.流域模型-研究 Ⅳ.P344

中国版本图书馆 CIP 数据核字(2004)第 004923 号

Translation from the English language edition:
Simulation Modeling for Watershed Management by James Westervelt

出 版 社:黄河水利出版社

地址:河南省郑州市金水路 11 号　　邮政编码:450003

发行单位:黄河水利出版社

发行部电话及传真:0371-6022620

E-mail:yrcp@public.zz.ha.cn

承印单位:黄河水利委员会印刷厂

开本:787 毫米×1 092 毫米　1/16

印张:9.25

字数:220 千字　　印数:1—1 100

版次:2004 年 2 月第 1 版　　印次:2004 年 2 月第 1 次印刷

书号:ISBN 7-80621-762-2/P·29　定价:26.00 元

著作权合同登记号:图字 16-2004-1

译者前言

我们热诚地把一本介绍和展望现代模拟建模技术应用于流域管理的新著推荐给广大读者。

流域是水资源、土地资源和其他自然资源管理的基本单元,各类科学和管理模型,特别是空间显式的模拟模型正日益成为流域管理的主要工具。目前流域研究中最关键、最有待解决的问题都是集成层面上的问题,集中表现为保持流域的可持续发展应该采取什么样的水资源和土地资源管理策略;对于不同方式的流域管理情景,流域生态、水文和社会经济等各子系统会有什么样的响应。回答这些问题,需要从水土气生人等复杂系统集成的角度出发,综合应用多学科和跨学科的模拟模型,并将它们集成为恰当的流域管理模型,才能较为准确地描述流域过程并且回答宏观层面的决策问题。

本书正是从这样一个角度出发,为我们廓清了流域管理中使用模拟建模的悠久传统,清晰和全面地介绍了这一领域内的常用模拟模型和建模环境,展望了其应用前景,为读者进一步扩展了视野。作者自信地指出,从现在起,"流域模拟模型将与 GIS 相匹配,以完成一个历时几十年的转变,这一转变通过正式获得关于流域系统状态和动态变化的知识来极大地改进流域管理"。

我们认为,在这样一个日益重要、蓬勃发展的领域内,将这样一本代表流域管理中的模拟建模最新进展,全面回答了其科学和技术问题,并且具有前瞻性的著作翻译出来,将有助于流域科学研究。

我们也认为,在国内推动这一领域的进展,有待于模拟建模能力的建设和人才队伍的培养和孕育。我们期望能以此书的出版为契机,使得越来越多的研究人员就这一多学科和跨学科的新领域展开积极和富有成效的讨论。

本书原著是由 Springer 在 2001 年出版的。作者 James Westervelt 博士是伊利诺斯大学美国陆军工程兵团建筑工程研究所的研究人员(j-westervelt@cecer. army. mil)。本书中文版的翻译工作得到了他的支持。

本书由中国科学院寒区旱区环境与工程研究所的程国栋、李新和王书功翻译。程国栋翻译了引言、第二部分(第 5~12 章)和结论,王书功翻译了第一部分(第 1~4 章),李新翻译了第三部分(第 13~17 章)。全书由刘凤景校对,李新作了二次校对。由于译者水平所限,错误难免,敬请读者予以指正。黄河水利出版社的余甫坤先生和张长虹先生为本书的尽快付梓付出了大量细致入微的工作,在此致谢!

译者

2004 年 2 月

绪　言

本书向流域管理人员和流域管理专业的学生介绍空间显式的模拟建模在管理决策的评价中日益增长的作用。在基于流域的科学研究中，模拟建模具有悠久的历史。目前，模拟建模已用于辅助与重大经济协调发展有关的流域管理决策的评估当中；基于教学的模拟建模也已可用，并正在用于课堂教学中；最后，地理信息系统在流域和自然资源的管理中已成为常规工具，并和廉价的、不断增加的数字地图数据库联系在一起。地理信息系统的开发旨在帮助我们了解我们管理活动的后果，这一技术对获取土地和流域系统的状况是非常有用的，但这仅仅是事情的一半。若要充分发挥地理信息系统在预测和评估流域管理决策选择中的作用，还必须有效地与我们对土地和流域系统动态的知识紧密结合。本书向你介绍作为地理信息系统自然延伸的基于管理的流域模拟建模。不管你是一个专业的流域管理人员，一个可能正在参与地方流域管理委员会的公民，还是一个对流域规划饶有兴趣的学生，本书都将带你漫游，以训练你访问和使用可用的和新兴的流域管理技术的能力。

本书不折不扣地反映了合作团队的努力。本书的写作动机来自多年来由美国陆军工程兵团工程研究和开发中心(ERDC)的 Bill Goran 所倡导的模拟建模工作。本书的写作创作基金来源于伊利诺斯食物和农业研究理事会，是由该理事会领导之一、伊利诺斯大学农业和消费经济系的 Sarahelen Thompson 提供的。创作素材是由几十年来多人热心致力于流域或景观模拟建模的开发中积累起来的。本书的精髓是通过与位于厄巴纳·尚佩恩的伊利诺斯大学地理系的 Bruce Hannon 及城市和区域规划系的 Lewis Hopkins 的许多次极有启发的谈话中提炼出来的。ERDC 的 Gloria Wienke 使本书的可读性大大加强。Manette Messenger 使本书内容更切合实际，他生来就是要把微笑带给世界。我的妻子，也是我最好的朋友 Eileen 的深情支持，使我的写作时间得以保证。波士顿大学 CAS 地理系的 Matthias Ruth 和一位匿名的评论家，对本书的编辑提供了很大帮助。作为这一团队的一分子，我深感幸福，谢谢大家。最后，衷心感谢 Springer-Verlag 的工作人员，特别要感谢 Janet Slobodien 和 Tony Orrantia 在最后阶段所作的指导。

詹姆斯·韦斯特维尔特

引　言

自然资源管理始终是一种引起争议的尝试。这迫使我们承认并理解我们的社会充满着具有十分不同的世界观和生活目标的个人。每个人对于可选的流域管理方案的结果有着十分不同的看法,由此产生的争议只有通过公众意见听证会、立法过程和法院系统解决。科学在改进我们预测管理对自然和经济影响的后果的综合能力上能够起到关键的作用。科学上预见的后果必须通过公众意见筛选,在筛选时,好坏的概念能够使我们从一系列备选方案中作出抉择。

科学是一个使我们的理解和知识形式化的过程。非形式的知识(我们的理解)再塑成假设,然后它要经受科学家团体的衡量和仔细检验,经得起这一深刻检验的知识正式成为科学本体的一部分。管理是一个必须巧妙地结合正式和非正式知识的过程。流域管理不可避免地是一种不严密的活动,与之相连的哲学是“对付过去”。为避免作出有长期影响的不良决定,许多管理者接受了一种叫做适应管理的战略。他们先着手一个没有完全包含全部,但看上去是不错的计划。如果该计划可行,他们就更进一步,根据收集的对最近活动的反馈,在该方向上做微小的改动。管理团体愿意采取的步骤部分地与他们预测这些步骤将产生的后果的能力的确定性水平有关。

几乎是普遍使用的一个基于科学的形式化技术是20世纪70年代中期开发的地理信息系统(GIS)。对GIS的普遍认同,使它成为自然资源智能管理中的一个必需的工具。GIS提供了两个基本功能:首先,它使我们能够对景观和流域系统状态的看法形式化。其次,它使我们能够叠加、分析和调查存储了有效信息的数字图。GIS仅仅形式化了重要信息的一半即系统状态信息,这些信息是我们预测可选的流域管理决策的后果所必需的。除了系统状态知识,我们还把握系统的动态变化。经常使用GIS的流域管理团体目前提出了关于系统动态变化的非正式的思路。既然GIS现在已被采纳为流域管理的十分宝贵的工具,它就必须与流域模拟建模相匹配,以完成一个历时几十年的转变,这一转变通过正式获得关于流域系统状态和动态变化的知识来极大地改进流域管理。

本书提供了五个基本的信息:

(1)模拟建模正在变得更通用;

(2)基于教育的模拟建模对任何人都是可以获取的;

(3)为科学研究而开发的模型是有用的,但其本身尚有不足;

(4)对严格的流域模拟建模而言,专家和他们的模型需要筛选;

(5)面向流域系统管理的模拟建模工具正在取得快速进展。

在我们的社会中模拟模型正变得日益有用。儿童使用的电子游戏是基于模拟的,包括喷气客机在内的装备在设计阶段也使用模拟技术。在水文学、生态学、经济学、交通控制、制造业和商业管理等领域,科学家经常使用模拟模型进行理解和预测。一些软件公司提供可扩充的、对任何具有基本代数学背景的人均能理解的模拟建模程序。毕业时具有一些模拟建模经验的文科学生的数量正在增加。用于支持科学家的模拟模型与用于支持自然资源管理者的模拟模型之间有很大的不同。由水文学家、生态学家和其他学科的科学家开发的强大的模拟建模对于流域管理方案的选择评价是不完备的，而且经常是不合适的。当这些模型适用时，明智的做法通常是将这类模型的操作留给科学界，因为模型的输入需求可能使人望而却步，用户界面通常很差，而输出又很难解释。如有耐心并能和科学家紧密配合，则模型在比较选择中是有用的。最后，期望在未来的几十年内，基于流域的决策支持系统将愈来愈多地使用模拟建模。政府部门正在积极努力，试图为流域管理决策者提供强有力的多学科模拟建模工具。GIS 供货商也将在他们将来的 GIS 版本中提供种类增多的模拟建模工具。

本书分为三部分。第Ⅰ部分：历史、理论和挑战，提供模拟建模的背景信息。其中，第 1 章回顾了使当地的流域管理成为可能的最近的历史；第 2 章评述了与模拟建模有关的挑战，阐述了常常引起疑问的有关从事模拟建模的合理性问题。第 3 章和第 4 章分别回顾了由生态学界和水文学界开发和实施的模拟建模。

有兴趣了解哪些现有模型可用于基于管理的流域模拟的读者可直接跳到第Ⅱ部分阅读，即选择模型和建模环境。这一部分有单学科模型（第 5 章），多学科模型（第 6 章）和用于开发全新模型的软件（第 7 章）。评价管理方案的模拟模型常常是多学科的，需要在模拟模型中收入当地情况。第 8 章提供了一个如何协调开发新的多学科模拟模型的方法。第 9 章和第 10 章研究怎样用模拟模型阐明和研究管理方案选择的后果。第 11 章探究了模型误差和不确定性分析的挑战。第 12 章提供了用于评价的可用模型，以满足特定的流域管理决策过程的需要。

第Ⅲ部分：集成的流域建模与模拟展望。简略地展望了在不久的将来，面向管理的模拟模型将变得像 20 世纪 90 年代的 GIS 一样既普遍而又重要。设计原理（第 14 章）之后是从土地管理者（第 15 章）、模拟模型开发人员（第 16 章）和系统开发人员（第 17 章）的角度对集成的流域建模和模拟系统的看法。这三部分加在一起覆盖了基于流域的模拟建模的过去、现在和将来。

插图目录

目　录

第Ⅰ部分　历史、理论和挑战

第1章　流域和景观管理概述

几十年来，流域模拟建模一直是科学家的领地中的一个重要工具。地方化的流域管理方法需要当地居民和流域管理人员熟悉这类工具。近期地方流域管理发展到了什么程度？本章首先简要回顾地方化流域管理的崛起，然后介绍流域管理委员会及其所提出的流域管理方案在当今社会中的作用。

1.1　地方化的流域管理

面向流域的管理方法日渐普及，我们经常可以听到流域分析、流域健康、流域协调发展、流域管理和流域委员会等诸如此类的名词。尽管按流域进行土地管理正在变得愈来愈普及，但流域管理作为一研究领域和土地管理的方法，几十年来一直是由科学家们大力推动和发展的。传统的土地管理通常按照历史上形成的行政区划进行，这些行政边界，多是分割不同的景观、流域以及生态系统的直线状界线。如果行政边界影响到生态过程时，有时从卫星照片上就能够清晰地看到直线边界两侧在管理上的差异。图1-1是得克萨斯州一处军事基地和私人土地之间的边界的卫星图片，图片中较暗的一半(西南部分)是军事基地中的林地，图片中较亮的一半(东北部分)是私人牧草地。有趣的是，因为两个区调查队在不同的时间完成各县国土调查，行政边界可能会在土壤图中清晰可见，由此造成土壤类型边界看起来并不是自然跨越各县边界。各个地区是通过不同机制自然联系在一起的。在大陆尺度上，气候和地形决定了多种生态分区，而每一类生态分区又由更小尺度上的不同格局的土地镶嵌体构成。水是所有生命必不可缺的资源。在大陆尺度上，人们通过年降水循环特征界定各个生态分区。在更为局地的尺度上，水的运移是通过一系列过程的相互结合完成的，包括大气降水、地面漫流、地下水以及河网水流动。通过这些过程，水与其赋存的生物物理环境不断发生交互作用，它的性质也随之发生变化。上游任何一种生物体的活动，都能帮助我们判断影响这种生物体健康状况的水质以及水的其他特征。由此，本章给出了按流域管理自然资源的首要推动因素。采用流域作为自然资源的管理单元，是对自然地理环境重要性的一种认同。

景观中任意一点的可用水量以及水质状况均取决于降水在该点上游景观中的运动。栖息地的健康状态与可用水量和水质有着直接的关系，野生动物的种群规模是栖息地健康水平的指示灯。除了干旱区的人类居住地从几百英里外的河流输入生活用水外，绝大部分人类居住区的饮用水直接从当地河流、湖泊和地下含水层中抽取。这类生活用水的

图 1-1 行政界线两侧的土地覆盖差异

质量是上游自然过程和人类活动的函数。顺流而下的河水把流域中各个位置的土地所有者、居住者和他们上游的邻居紧密地联系在一起了,因为上游居民的活动增加了河水携带物质的种类和数量。这些河水从上游流过来,然后继续流向下游邻居居住地。

为什么流域管理现在如此受欢迎呢?主要是因为人口的增长极大地加剧了当地人口数量对流域下游水质和水量的影响。解决污染的传统方法就是"稀释",随着点源污染和非点源污染的增加,流域水体稀释污染物的能力不断下降,以至于流域下游出现了健康和安全问题。正是流域下游出现的一系列广为人知的严重影响,促进了 1972 年联邦水污染控制法案的通过,该法案通常被称为净水法案(CWA)(Adler 等,1993 年)。净水法案的首要目的就是要显著改善美国的水质状况。1977 年的净水法案的修正案和 1987 年的水质法案重申和加强了最初的净水法案。在最初的法案中,提出了两个国家目标,即到 1985 年,实现在美国范围内停止向所有水体排泄污染物和使这些水体的水质等级达到可以让人们安全游泳和钓鱼的目标。为此,美国成立了一个综合性机构,专门负责确立用于处理水污染及水质问题的标准、工具以及财政支持。贯彻净水法案的途径包括:通过国家排污许可证制度限制向河道中排放废弃物,开发保护湿地和水生栖息地,扶持和支持那些建立和更新污水处理厂的项目以及控制化学物质泄漏。

净水法案并未涉及农业用地以及正常的农业活动,如施肥、播植、犁地、收获以及农用池塘开挖。为了鼓励有利于环境的耕作,政府出台了一些对应用环保型耕作方式的土地所有者进行财政补偿的计划。例如联邦保护储备计划(CRP)❶ 以及相关的州与联邦保护

❶ CRP—http://www.fsa.usda.gov/dafp/cepd/crep/crephome.htm

储备增强计划(CREP)。政府对于自愿将农业用地用于退耕还林、建立野生动物栖息地以及侵蚀缓冲带之类用途的土地所有者,将获得联邦及州政府的经济补偿。通过净水法案,联邦政府确立了它对国有水体水质以及流经私人财产的水体水质的影响。个体土地所有者总是力争保留他们的私有财产,包括按照他们的意愿进行耕作和建筑的权力。在水质改善工程中,州、县、控水专区、城镇以及其他政府实体扮演了利益相关者的角色。

美国环境保护局(EPA)负责净水法案的实施。近些年来,美国环境保护局已经介入净水事务,以帮助社会满足法案的要求并实现法案的目标(Ficks,1997 年)。它除了组建一些地方化流域管理小组并给予了相应的支持和资助之外,还提出了一个新的理念:科学家参与管理而不是领导管理。现在,地方组织、居民以及土地所有者之间的对话联系正在加强,从而避免了"大政府"和当地土地所有者之间的对抗。为了建立和应用地方流域管理方案,联邦和州所属的各级政府机构提供必要资金和支持,使专门化流域管理小组获得了其发展所需的合法性。

美国环境保护局用以支持地方规划的项目❷涉及到教育、流域过去和现在的数据、指南、金融和技术资源等方面。翔实广泛的互联网资源扩充了印刷品材料。教育贯穿在孩子们的游戏和中小学教师讲述的课程之中。在美国环境保护局的众多存储诸如有毒物向空气和水体排放、河流流量和水质信息以及饮用水来源和质量等信息的数据库中,部分数据库实现了信息的按流域检索与查询,任何感兴趣的公民都可以随时查询与他们所在地流域有关的地图、图表、数据表、文字说明及图像。美国环境保护局的存储和检索系统数据库(STORET)❸是美国存放河流水量及其水质信息的主要数据库之一,这个海量数据库对公众访问完全公开。它存放着联邦、州以及地方政府部门、印第安部落、志愿者组织、科研单位以及其他机构收集的有关地表水和地下水的生物的、化学的和物理的原始数据。

州和联邦政府负责水管理的机构主要依赖地方民众参与的管理小组来应用学术和政府机构的专业技术开发流域管理方案。因此,通过出版物和电子媒体,特别是互联网,民众可以随时获得建议、数据、支持、资金和其他所需资源,在许多流域管理所取得的成果中,大部分成果是由地方流域管理小组和他们所选举的官员共同合作所取得的。

1.2 管理委员会及管理方案

流域管理委员会由当地人员组成,负责制订并实施流域管理方案。如上文所述,流域管理委员会从联邦和所在州可提供的资金中获得经济支持,以提出和实施管理方案。美国环境保护局、美国陆军工程兵团以及美国内务部提供专业技术和资金支持。自然资源保护局(NRCS)也促进了流域管理的发展,它的地区办公机构在地方流域管理中发挥着重要的作用。流域管理要求流域内各方自愿合作并且相互协调,通过达成共识,来确定流域管理方案,以应对当地、地区、州以及联邦利益相关者所共同关心的问题。流域管理小组赢得了越来越多的认可,近些年的立法和政治家们的演讲都反映出对它们的支持。白

---

❷ Surf Your Watershed—http://www.epa.gov/surf/

❸ STORET—http://www.epa.gov/owowwtrl/STORET/(已改为 http://www.epa.gov/STORET/,译者注)

宫环境质量理事会近期启动了美国遗产河流项目[4]。在这个项目中,有一百多条河流被地方流域管理小组提名为遗产河流,这大大出乎白宫的预料。净水法案提及了流域管理小组以及它们在国家水标准达标方面所发挥的作用。副总统阿尔·戈尔曾经直接领导联邦部长们提出了一个能够实现净水法案所要求的"可渔可游"的水标准的方案。在农业部长的领导下,经过酝酿,一项被称为"克林顿总统净水倡仪"的方案于1998年在国情咨文中被提出。

流域管理小组能够极大地影响地方自然资源的管理,并能利用联邦和州提供的资金和专业技术,提出并实施流域管理方案。尽管资金把握在各级政府机关手中,当地居民仍然可以通过流域管理小组对资金的使用施加影响。大体上讲,流域管理分为两个步骤,第一步是创建流域管理方案,第二步是实施这个方案。资助实施流域管理的前提条件是必须有一个完整的流域管理方案。管理方案的建立绝非易事,但是目前人们已经积累了许多经验教训(Ficks,1997年)和大量研究实例,它们可以帮助新的流域管理小组克服在方案制订过程中可能遇到的困难(Heathcote,1998年)。流域管理小组可以适时控制流域模拟建模在管理方案的发展、实施及监控过程中的应用。

在过去的几十年里,美国人愈来愈趋向于相互协作共同解决净水问题,特别是地方净水问题。政府机构也学会了通过提供资金和技术同地方团体紧密合作,以发挥它们的作用。当联邦政府机构与各个地方民间团体合作时,项目进展迅速。联邦环境保护局正在致力使专业技术、资金和海量数据库的获取变得更加便利。

地方管理小组将流域管理牢牢掌握在手中,政府和大学供职的科学家不再是流域管理的领导者,而是作为技术委员会的成员参与流域管理。流域管理人员和参与流域管理的居民必须熟悉学术界使用的模拟模型,并参与这些模型的应用。通过随后几章的学习,管理人员和居民将具备上述能力。

---

[4] 美国遗产河流— http://www.epa.gov/rivers/

第2章 管理和建模的挑战

到目前为止,模拟建模在各流域管理小组中并没有得到广泛应用。本章将探讨关于建模的基本理念,建模与数据采集的关系以及在何种条件下建模最为经济。尽管在某些特定背景下不宜使用模拟建模,但是本章仍然试图探讨模拟建模的应用潜力。

就管理决策而言,需要认真考虑以下两个基本问题:第一,决策将会对人类、经济和自然系统造成什么样的影响;第二,个人和社会如何看待这些影响。模拟建模可以帮助我们将科学知识形式化,进而回答第一个问题;通过民主政治程序,多元化社会能够通过个人和团体的内省回答第二个问题。本书着重于通过开发和应用一系列工具来回答第一个问题。精确的预测后果有助于进行候选方案的合理性论证。

在何种条件和背景下,自然资源的管理要运用模拟模型呢?模拟建模面临的挑战数量众多,而且各种各样,例如模型设计及开发是否合理、模型是否经济,以及模型是否富有成效等。或许你已经参加过这类问题的讨论,你发现有时候你支持或反对应用模型或建模。模型设计和开发的费用可能很高,但是在土地管理中一旦发生错误,那么可能会产生灾难性的后果,人们可能要为之付出更为昂贵的经济代价。本章将结合景观模拟建模的优点和不足,探讨建模的不同原因和目的。

人们经常对应用模拟建模来评价土地管理可选方案的观点报以非常不信任的态度。许多人认为,建模屡试屡败,是一种对时间、金钱以及人力资源的浪费。现实中有相当数量的个体模型不尽人意,难以实现人们的所有期望。事实上,人们的期望易于超过实际可能。因此,建模人员必须避免过于自信,认为其建立的模型能完全反映所模拟的系统。

建模是人类认识周围世界的一项基本活动,人们对其周围人或事物及其相互关系的阐述,都属于建模的范畴。任何人都不可避免地进行建模活动,比如,在你每天上班的路上,你会运用潜意识中的有关生活环境和生活经验的概念模型,这些模型可以帮助你预测其他行车者的意图、车辆的大小和数量、路面的承载力以及你周围其他人或事物的行为。如果你的模型精确无误,你通常会或行或止,安全上班;反之,如果你的模型有问题,那么你可能会遇上大麻烦。如果发生类似如前方道路突然出现结冰、有人莽撞驾车、猛烈的暴风雨不期而至以及其他出乎意料的事件,有问题的模型可能会引发致命的后果。每个人心中都有关于这个世界的各种模型以及它们的状态和运行规则,因而人们都期待着各种事件都照既定的方式发生。年轻人被赋予相对较高的保险等级。年轻人心目中的模型可能是假定在面对危机时,他们可以在其反应时间内逃离困境。他们也许还假设其他驾车者的行车速度较慢,可以轻松超过他们。他们的模型并不具有足够的预测能力,确保自己可以完全免于麻烦。因此,作为一个群体,年轻人支付相对较高的保险费。通过经验的积累(通常是交通事故,甚至有些是重大的交通事故),这些模型的预测能力被不断提高,行车速度也降低到一个合理的等级。但是,即使是最有经验的驾驶员,在遇到出其不意的新情况时,也会措手不及。

为了使我们的模型切实可用,重要的是确保他人的模型与我们的模型协调一致,文化、法律和道德准则为此提供了一个总框架。例如,每一门学科都发展起了专门的文化和语言,并融含到模型的共享之中。我们中的每一个人,都有关于标准个体、境遇、住所、城市和自己的模型,我们一直无意识地将生活中的经验和感觉与这些模型相匹配。在对周围世界的认识(也可以说是模型)的基础上,我们做出各种决策。因此,可以说,建模是人类固有的、自然的,而且是不可避免的活动。随着越来越多的非正式概念模型被改造成为形式化模型,建模在实际工作中的作用也在不断改变。以下的三幅插图以及相关的论述描绘了建模在过去、现在和未来的工作中所扮演的角色。图 2-1 描述了当今一个复杂的土地管理决策的制定过程。参与决策的每一个人都至少掌握一个关于景观机理的概念模型。图中每个矩形框都代表一个参与管理的个人。概念模型的建立依赖正规的专业训练、工作经验和人们处理抽象化概念以及模型的天赋。一般而言,进行一项土地管理决策需要一定数量的人员参与,其中每个人都具有独特的教育、职业和实践背景。因为背景与个性的差异,参与人员对流域的认识(模型)各不相同,他们对物种需求、栖息地的适宜性、水文状况、生物多样性、遗传学以及化学与噪音的影响等方面有不同的认识。提交给管理小组的潜在管理计划实际上是向小组成员的个人概念模型提交的,基于非正式的个人概念模型,每个小组成员都能就一项管理行为所产生的后果发表自己的意见。通常情况下,由于各人在背景、专业技术和个性上的差异,这些观点难以趋于一致,造成参与人员对人类、经济以及自然系统到对管理策略的响应存在不同的看法,为了解决这类分歧,通常需要运用相应的政治程序。

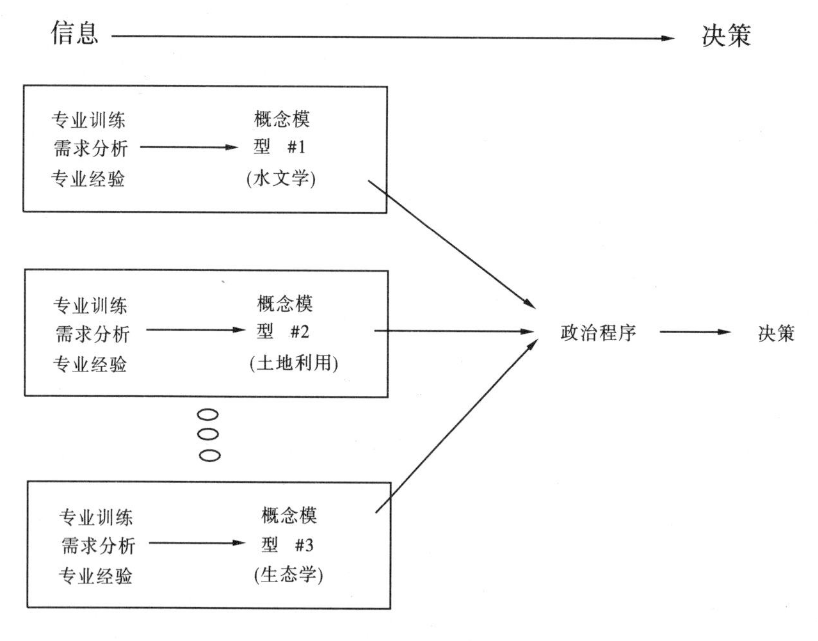

图 2-1　当前的景观建模方法

这种景观建模的方法十分有效,它一直是民主社会中制定多学科复杂决策的主要方法。然而,这种方法也存在若干不足之处。首先,个体模型肯定是不全面的,每个人仅能掌握研究的问题所涉及的所有信息中的一小部分，而通常不可能掌握解决问题所需的全部知识，并能提出一个最优的解决方案。因此，拥有不同学术背景和专业经验的管理小组成员必须紧密合作。其次，由于个体模型之间难以交换信息，模型本身的评价就绝对不是件容易的事。一般而言，人们难以完全了解其所应用模型的复杂性。在实践中，概念模型并非是完备的逻辑推理模型，而是模式匹配模型，它与我们非正式插补模式的能力有关。当我们遇到新的情形时，都会将新情形和我们过去的经历以及总结的经验进行对比、匹配，从而决定在新情形下采取何种应对措施。我们习惯于运用逻辑来进行语言表达，但是在我们的思维中，我们运用模式来考虑问题。为了使交流更富有逻辑性，我们必须能够在思维中的模式匹配过程和正规的语言逻辑过程之间相互转换——这是一个人人都要学习的技能。只有模型之间有了充分的交互，对模型的评价才易于进行。第三，因为模型之间难以交换信息，所以将不同人员开发的模型组合起来是一项更加困难和费时费力的工作。当多个模型之间存在大量反馈环路时，对模型进行组合非常重要。例如：水文过程影响土壤湿度，土壤湿度影响土地利用模式，土地利用模式又会影响水文过程。多学科组合模型的功能可能非常强大，特别是在存在复杂反馈的背景下。

现今，随着描述一个或多个方面景观变化的模拟模型的设计和开发，图 2-1 中所示的决策过程也开始发生着变化。图 2-2 反映了当今将各种概念模型转化成相应的计算机模拟软件的发展趋势。图 2-1 中描绘的两个概念模型，在图 2-2 中被正式纳入软件之中。拥有模型♯1(水文学模型)的个人或者小组已经将他们对水文过程非正式的理解纳入到单独的水文模型之中。从事生态方面工作的个人或者小组也作了类似的工作(模型♯3)。目前，①相对于个人的能力而言，模型可以集成更多的信息；②模型可以被评价或者研究；

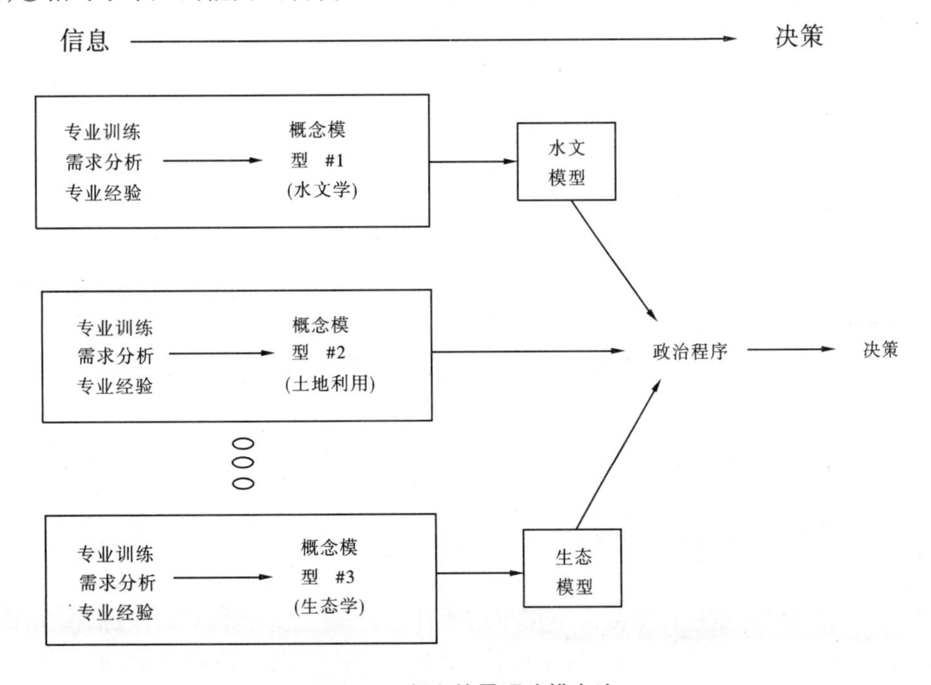

图 2-2 新兴的景观建模方法

③模型可以扩展,并可以和其他模型进行耦合。这一新兴的景观管理方法仍然要求有一套政治程序,用来汇总各个模拟模型的输出结果以及概念模型的剩余输出结果。未来面向管理的模拟建模软件将会致力于实现从集成人的模式匹配型的概念模型到应用精确的基于计算机的模拟模型进行决策支持的转变。

图 2-3 表明,要实现从概念建模到计算机模拟建模的完全转变,协作式建模环境是必不可少的一环,因为在协作式建模环境中,参与景观管理的专业人员能够建立综合的时空生态模型,可以将单独的水文学、农作物轮作、土地活动、居住地适宜性以及其他模型开发和设计为彼此同步运行的系统。

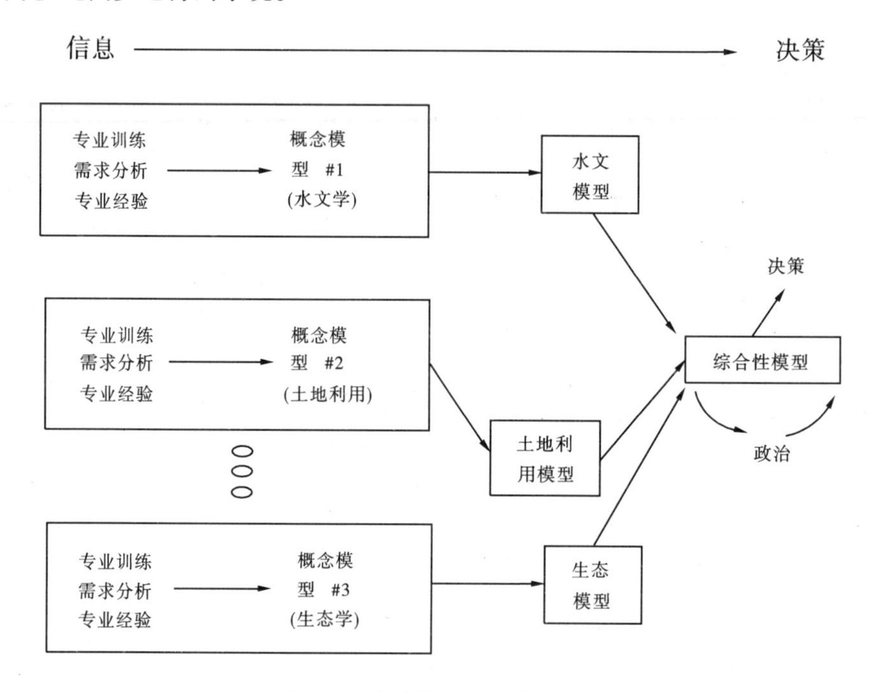

图 2-3　未来的景观建模方法

在图 2-1 至图 2-3 所描述的一系列管理模型中,政治程序都是很重要的。特别是形式化模型无法完全取代管理人员在决策制定过程中所发挥的作用,它们只能取代概念模型以帮助我们预测候选管理方案对自然和经济系统所产生的后果,而这些后果的价值和重要性必须接受受其影响以及对其关心的人士的论证。

本书的第Ⅲ部分提出一个概念型的规划,从最终用户、建模人员及软件开发人员的角度出发,描述了这种管理建模的基本特点。

2.1　模拟建模的目标

清晰明了的目标是进行交流必不可少的条件。为某一系列目标而开发的模型不能用该系列的目标,或者用其他系列目标来评价,否则将会产生误导性的结论、不良的管理决策以及对相关模型的不合理认识。在这一节中,我们将介绍开发模拟建模的各类目标。

大部分模型可以被清晰地划分为两类,即科学认识类和管理支持类。我们从文献中了解的模型大多属于前一类，而本书将着重探讨直接支持土地管理的模拟建模工作。首先，让我们了解一下基于研究的模拟模型。

科学认识类模拟建模

致力于认识自然的科学家们倾向于开发关于自然的各类模型，以体现他们关于自然的可检验的各种假设，并通过对假设的检验不断对其模型进行修正。这类模型通常难以操作，特别是对与模型开发者分处不同学科领域的人员。这类模型总是以单一学科为中心，例如，水文学专家开发的水文模型可能会涉及到一些简单的生态学内容，用以描述土地覆盖特征；而生态学家开发的功能强大的生态模型或许也会涉及到非常简单的水文模型。

自然系统靠大量的环境参数以恒定通量的方式运转。为了认识自然系统的一个分量，我们需要将注意力集中在一小部分变量上，并估计自然系统对这些变量变化的响应。因此，在进行科学分析时，必须人为地控制大多数自然变量保持不变。以下以森林生态系统为例，为数不多的几位科学家可以迅速地识别这一系统内成千上万的测度。以下是一个森林生态系统测度样本集：

- **化学物质浓度**

  有机体内

  土壤及枯枝落叶层中

  大气中

- **物种**
- **种群特征**

  年龄结构

  数量

  分布

- **气候和天气特征**

  温度

  湿度

  压力

  降水

  闪电

- **地球物理特征**

  地质学

  坡度、高程和坡向

  纬度

- **外部因素**

  太阳辐射

  系统流入水量

  虫害

  火灾

此外，以上特征值的测量还可以在不同的时空尺度和不同的群集上进行，也就是说，既可以度量这些特征在特定时空组合中的平均状态,也可以度量它们在时空中某一点的状态。生物体的体内环境或种群的种内环境与生物体的体间环境或种群的种间环境差异很大。自然环境是非常复杂的。为了理解这一环境,科学家们往往首先分离出单个变量或者几个有限的变量。例如,要完成一项氮浓度对植物生产力影响的研究,研究小组可能需要在实验室环境中通过固定上样本集中的有关变量来维持这一系统的稳定,而且系统变化必须维持得相当恒定,以使研究人员能够找出氮浓度与植物生产力之间的相关。这些工作为科学研究积累了重要资料,科学家们试图从这些数据中得出因果关系,从而建立一个模型来反映系统的一小部分状况。这个模型既可能是一个基于统计的简单的线性回归模型,也可以是一个复杂的非线性时变模型。在理想状态下,模型会具有一般性,可以在当前试验以及其他环境中预测那些不便直接测量的数据。为了检验和校正新模型,需要设计新的试验。如果一个模型被证明具有良好的预测能力,那么它就是一个成功的模型。

土地管理中的模拟建模

通常情况下,科学研究中产生的模型并不能直接用于土地管理决策或者解决土地管理的相关问题,其原因是:首先,在科学研究中,为了深入研究一小部分变量,总是试图使绝大多数参数保持恒定,而土地管理人员不可能像科研小组控制一个相对较小的试验环境那样严密地控制整个自然系统。其次,由于受到研究经费的限制,科学研究的持续时间往往限于一年到数年之间,而复杂景观的状态随时间变化相当缓慢,因此,科学研究的成果不足以支持复杂景观的长期预测。当今,人们要求土地管理人员通过结合培训、试验以及分析科研成果来寻求制定专业化的决策。有些科学研究成果的应用价值比那些有关奇闻轶事的信息强不了多少。土地管理人员很清楚景观随着时间和空间而发生变化,并且景观包含有不同于科学研究中所使用的各类植物和动物组合。单纯的科学研究,特别是在实验室进行的那种,对于土地管理而言,充其量只具有建议价值。

虽然单个的科学研究成果对于制定完善的管理决策作用有限,但是反映流域几年、几十年,甚至更长时间变化趋势的大量科学记录可以为决策的制定提供丰富的信息。发掘和归纳有用知识是一项耗费时间,而且代价昂贵的工作。当今的科学记录由土地和流域管理经验、教育以及对流域管理感兴趣而且有见地的人士的论述混合而成。教育由学校提供的正规专业培训、文献阅读、参加研讨班、会议和讨论会构成,工作经验又扩展了专业知识。流域管理是综合上述各种背景信息预测候选管理方案如何影响未来景观状态的艺术,其中,景观状态包括土地模式、水质、自然居住环境和经济效益等。概念模型是管理人员背景和经验的综合,因而也是非正式的,是土地管理人员头脑中的想法(很可能是复杂的想法)。尽管如此,这些概念模型依然功能强大,它们是当今制定决策的主要基础。

预测可能涉及到正式的模拟建模,即在给定系统初始状态和预先定义系统行为的前提下,应用因果关系,描绘系统未来状态的过程。正式的模拟建模是建立在经验、事实以及正式出版的文献资料的基础上的。通过撰写可同他人推敲的文字或者计算机代码,模型具备了具体的形式。不像非正式的个人概念模型,正式的模型可由多方参与评论,协作性越来越强。

每个人的头脑中,都会有一个关于这个世界的概念化动态模型。任何两个人的模型的相似程度，取决于这两个人的经历和教育的相似程度，同时，还与他们的认知能力、健康和生活哲学有关。本书的前提是假定任何个人都不具备独立制定最优的景观管理决策所需的足够经历、背景和智力。专业人员头脑中的那些非正式的设计、发展和应用的模拟模型必须进一步交流和相互结合。传统上，上述过程会通过会议、听证会、正式和非正式的论证以及其他一些政治程序来实现。各种模型(观点)被提出、辩驳，并和其他模型进行参照和对比。

随着计算机的广泛应用，计算机软件实现了对各类模拟模型的集成，从而增强了传统上通过论证和政治程序进行模拟模型组合的方式。表 2-1 描述了一个产生土地管理决策的简单七步流程。

表 2-1　土地管理决策制定过程

活动/步骤	传统的方法	新兴的方法	未来的方法
(1)基础研究	引用相关学术刊物	引用相关学术刊物	引用相关学术刊物
(2)专业人员培训	高等教育	高等教育	高等教育
(3)模型开发	概念模型	概念模型	概念模型
(4)模型形式化	无	具体学科的计算机模型	具体学科的计算机模型
(5)形式化模型的集成	无	无	将模型转化为模块，并集成到一个单独的模型中
(6)影响预测	基于对概念模型的口头讨论	基于对概念模型和具体学科的计算机模型的口头讨论	基于协作式多学科模型的模拟
(7)决策	基于预测结果的社会价值	基于预测结果的社会价值	基于预测结果的社会价值

表中的右侧三列分别描述传统的、新兴的和未来的土地管理决策制定方法的流程。可以看出，这三类方法的前三个步骤是一致的，科研人员将研究中取得的新结果发表，这些新的内容必将会出现在高等学校的教学计划和专业技术人员可以获得的技术刊物上。接下来(步骤 3)，通过学习这些知识，管理人员必然会对景观系统产生一种认识(或者说是一个概念模型)。在传统管理方法中，基于上述认识，通过各方管理人员的参与，产生最佳的专业评价。各种分歧的意见，将在正式和非正式场合，由参与管理的人员通过口头协商来解决。如今，各种具体学科的计算机模拟模型吸收了多种概念模型。各种模型的形式化是管理决策制定过程中一个非常重要的步骤(步骤 4)，它体现了将概念模型组织成数学/逻辑模型的优势。正式的模型存储在计算机之中，可以轻松地进行检查、评价和修改。各个学科(水文学、生态学、生物多样性和经济学等)中心化模拟的结果，必须经过景观管理决策人员的正式和非正式会商后再做进一步的综合。若干以学科为中心的模型的预测结果极易出现不一致性。

在未来的土地管理决策制定方法中，新增了步骤5。在这一步骤中，若干独立的具体学科模型被集成为一个单独的协作式多学科模型。那些针对不同模型之间相互作用的口头讨论也被取消了。管理人员可以应用综合模型，对景观管理候选方案中的决策直接进行检验。检验结果可以和管理目标以及社会折中价值建立联系。现在关于特定土地管理决策的会商可以忽略各个模型的预测结果之间的矛盾，从而使研究人员把精力放在土地管理的目的、目标以及折中价值的规划上。

2.2 数据和模型的先后顺序

数据和模型之间到底存在着什么关系？本节把模型和数据当作一个整体中不可或缺的两部分来描述，缺少任何一方，对方都不是完善的。有些人认为，如果没有数据，模型一无所用，只有积累了足够的支撑数据，模型开发方能进行；另外一些人认为，只有已经开发好的模型需要数据，数据集才有实用价值。模型的形式化过程常常会遇到资料需求不能被立即满足的情形，但是我们也必须承认已经有人在没有支撑数据的情况下，仍然在使用有关概念模型。模型的形式化过程能够揭示缺失信息的重要性，显示了模型形式化的优点而非缺点和困难。形式化了的模型可以通过变量的敏感性分析来确定缺失数据的相对重要性，其结果有助于帮助我们经济而有效地收集所需的资料。

应用模型来指导和调整数据收集方案可能并不是最为经济的。模型敏感性分析的过程可以帮助我们将数据收集集中到最为相关的信息上。通过模型敏感性分析，可以判断出模型结果对诸如方程或者变量之类的模型组件的轻微变动的敏感程度。在模型建立阶段，敏感性较小的组件和其他组件相比，可以更为安全地被忽略掉。如果在资料收集完毕之后建模，敏感性分析可以为我们指出哪些收集的数据对模型的精度很重要，哪些不影响模型精度，哪些必需的资料根本没有收集。各种模型，包括模拟模型，都是为了解决某一或者某些特定问题而开发的。在模型的设计、开发和运行阶段，都需要运用敏感性分析来研究变量的重要性。在模型开发的早期设计阶段会涉及到大量变量，通过概念性的敏感性分析，一些变量因其重要性远远小于其他变量会被设计人员排除掉。在模型开发阶段，另外有些变量常常因为开发小组遭遇时间限制、专业技能缺乏和资金不足之类的问题被开发人员去除。最后，模型建成以后，可以就不同变量的重要性展开正式的分析。通过分析，或许仍会发现，有些变量对模型结果影响相对很小，其参数估计值和精确值具有相同的效果；而其他变量对模型结果影响显著。精确地测量那些重要变量可以使模型运行更为经济有效。

流域数据的收集与流域系统以及景观模型的研究和开发应该相互协作，同步进行。相信可以设计出一种能够完全满足未来建模所需重要信息的数据收集方案是不明智的；同样地，不顾现有数据和已获资助的数据收集项目就进行模型开发也是不明智的。流域是非常复杂的，而且，用于预测流域未来景观的概念、观点和理论也相当丰富，这些概念和观点都会导致需要不同数据采集方案的模型的产生。因此，流域建模和流域状态信息收集需要同步开展。

2.3 如何使模型经济实效

为了使景观模拟建模更为经济实效，我们需要迎接一系列的挑战。这些挑战可以归纳为以下几类：

- 人员协作——如何协调多个利益相关者的参与？
- 软件——还需要开发什么？
- 定义流域状态——如何更有效地应用地理信息系统？
- 定义流域过程——管理人员如何定义流域过程？
- 误差传递和敏感性分析——如何估计模型误差？

在以上分类中，人员协作可能是最令人感兴趣、最能使人振奋的挑战了。如前2.1节中所述，绝大部分现有模拟模型都是为了认识支配景观发展的科学规律而设计的。然而这些模拟模型以及相应的知识和相关文献对土地管理人员作用有限，它们必须和大量的不同领域如生物、生态、经济和农业等的研究结果审慎而又紧密地结合起来才有其应用价值。地理学和区域规划是各个不同领域融会贯通的枢纽。一个专业技术人员很难对相当数量的不同学科领域的科研成果做到完全理解并有效组织起来，有必要建立一个小组以涵盖所涉及的研究学科。因此，在开发未来的景观模拟模型时，我们将会聘请具有不同背景的科学家、学者和工作人员。促成不同小组人员协调工作的规章制度正在不断推出并日趋完善。

当前的面向管理的模拟模型尚不具备使基于不同学科而开发的面向流域的模型之间实现充分互动。虽然大量的原型环境的确存在，但是它们都是针对特定的用户、地区和问题而开发的(Trame等，1997年；DeAngelis等，1998年)。尽管现在已经有两个不同学科的模拟模型进行耦合的精彩案例，但是很少有人尝试去设计可供多个不同学科的模型进行集成的软件环境。美国地质调查局(USGS)开发的模块化建模语言是近期这方面的一个尝试(Leavesley等，1995年)。

景观及其各个组成要素的状态测量是开发高效景观模拟模型至关重要的基础。对于绝大部分自然系统而言，良好的研究项目都会适当满足这一观测需求。地面观测历来受到重视，而且遥感技术的应用正在得到加强。对景观中的任意一点，遥感方法只能提供非常有限的信息，但是对于整个景观，遥感方法能够提供全局的信息。野外工作能够在若干点上收集翔实的数据，遥感影像能够采集景观中10～50m^2大小的地块的部分信息，这两者的组合具有强大的景观状态采集功能。从20世纪80年代初期以来，专业人员开发了世界上各个地区不同比例尺的数字地图，其中的绝大部分是依据遥感图像和点上观测绘制的。我们较好地开发了一些项目，能够对我们的景观状态绘出一幅图画。这些项目包括由自然资源保护局开展的土地调查，由地质调查局开发的数字高程地图，来自于不同平台的遥感图像，以及各州和地方的项目。

我们对驱动景观以及相关生态系统发展的自然过程缺乏足够的了解。尽管对给定系统的状态测量所需经济投入相对较少，也可以在短时间内完成，而且还可以借助统计学方法表达，但是对自然系统的各种驱动过程的认识尚需进行更多的调查研究。其实我们在模型中想捕获的正是这些驱动过程。本书的第 3 章探讨了现代生态学理论和当前人们对自然系统的组织和工作方式的认识,科学家已经将关于生态学的一般理论建立起来,这些理论可以帮助我们在较大尺度上预测景观和流域对管理活动的响应。

为土地管理者设计景观模拟模型的开发人员面临的最后的一个挑战是误差传递和敏感性分析的问题。实质上,景观建模的各个方面都存在着误差的问题。在概念设计、模型驱动、数据测量、参数估计、算法设计以及计算机硬件计算的各个阶段,模型开发人员都要不可避免地与误差打交道。某些误差的重要性是通过一套被称为敏感性分析的工作程序来确定的,这套工作程序还能帮助土地管理人员认识从多方面控制景观的重要意义。本书的第 10 章将会概述误差、误差产生的根源以及如何跟踪景观模拟中的误差。

2.4 模型应该有多正式

如果建模势在必行,那么我们如何为给定的模拟任务选择最好的模型呢?到底用什么样的标准来评价一个模型的功能?如下是分析上述问题的两个基本准则:①开发和维护模型的成本投入如何;②怎样才能保证模型的精度。在进行成本效益分析之前,让我们先看看模型按照成本进行的分类,其层次结构为:

- 常识模型
- 经验模型
- 专家模型
- 科学模型
- 多学科管理模型

通常情况下,模型的开发成本按照以上层次结构中的前后顺序递增,如果不出意外的话,模型的精度也随之增高。下面几段简短论述将会帮助我们搞清这些模型的优点与不足。

常识模型

在本小节的讨论中,常识模型就是时时伴随我们的概念模型,是我们对世界的非正式的认识,能够帮助我们对周围发生的事件做出本能的反应。随着我们的成长,我们的常识模型会随着经验与教训的积累得以逐渐完善。我们从来不自发地发展相互一致的常识模型,以至于我们常常陷入这样的沉思:那些持有"疯狂"想法的人是如何得以生存的呢?尽管存在着困难,语言还是允许人们彼此交流彼此不同的模型——有时人们会因对方的想法而感到惊讶甚至震动。我们常常发现,人们很难存在共识。事实上,我们中的每个人关于我们共享空间的模型总是稍有不同的。如果这些模型能够支配我们通过马路,允许我们开创事业,帮助我们和他人进行交流并对我们行为产生的后果预测得非常精确的话,那么我们就可以和这个世界实现和谐相处了。

我们的有关世界的常识模型可以说是涉及多种学科的。以横穿马路为例,我们的模型要充分考虑到有关行驶车辆的物理学、有关驾驶员的心理学以及我们自身的能力。在这个层次之下,才是我们的肌肉和有关神经系统的复杂协调活动。想象一下如何设计一个让计算机横穿马路的程序,我们就能领会到日常生活中一般常识模型的功能和复杂性。

在流域背景中，我们的模型总是把降水和河流水位、季节和植被、云层和预期天气、裸地和河水泥沙含量以及建筑位置和洪水危险等方面的因素关联起来。从边界成本的角度来看，我们的模型是非常便宜的，因为它们随时都可以被使用。受教育（正式的和非正式的）是我们发展、检验和提高常识模型的一个过程，并且还为我们提供了带有数据的常识模型。尽管常识模型非常实用并且拥有不可度量的价值，但它们缺乏进行明确的交流所需的正式性。但有些情况下，我们个人的常识模型可以通过归纳总结，成为经验模型。

经验模型

常识模型因其易于表达和易于被接受，会逐渐成为我们共同文化的一部分，并以经验模型的形式被我们交流和传授。工程师在设计桥梁时，可能按照预计荷载的三倍设计桥墩；园丁在种植球茎植物时，开挖土坑的深度在南方是球茎直径的三倍，而北方是球茎直径的四倍；项目竞标人可能按照他所估计的项目工期的两倍来投标；过马路时，红灯停，绿灯行——以上都是我们在经验模型支配下行为的例子。复杂的科学研究和相关的模型常常会产生新的规则，如许多科学研究和化学反应路径模型都支持这类规则，即适度的体育锻炼会降低人类的健康风险。经验模型形式简单，其应用使决策制定过程变得简单易行，虽然并不为决策制定提供理论依据，但是它们精确而实用。

专家模型

与常识模型类似，专家模型也是概念模型，是特定领域的专业人员通过多年的培训、学习和实践形成和发展起来的。通过走访医生、律师、教师或者科学家，我们可以了解各个学科认识世界的复杂而又严密的专家模型。专业人员墙上张贴的学位证书或资格认证书标志着他们享有所在领域的至少部分模型或观点。类似地，接受一次水管工人、电气工人、卫生保健工作者或者建筑工人的访问，我们就会接触到他们共同享有的有关其所在领域的世界观。这些专业人员都拥有关于我们这个世界某些特定方面的高度发展的、基于专业技能的概念模型。在任何时候，我们只需投入一些努力，就能利用这些专业技能。

长期以来，科学家、工程师以及他们的专业技能已经在流域、湖泊和河流管理中发挥了强大的作用。控制着大量土地的管理部门可以吸收科学家和工程师为他们制订管理方案。无论是大坝的建设、人工湖泊的开挖、沼泽的疏干还是河流的疏通，无不是在正式技术人员所拥有的专业技能的基础上进行的。通过基础和应用研究，专业技能不断得到更新和扩展。在同一领域，可能出现相互竞争的多个模型，甚至有些模型之间可能存在观点的分歧。

科学模型

科学模型是专家概念模型的形式化，以便专家之间可以直接进行相互交流。这些模型可以在可供参考的期刊文章中以文字的形式存在，或者以正规化算法的形式被集成在计算机程序之中。通过期刊文章，其他科学家可以研究、复制刊载的科学认识或者模型，并可以深入分析它们的精度；通过计算机软件，科学家可以获得在不同约束条件下模型结论和效果。那些经得起其他科学家推敲检验的模型具有丰富的价值，是那些新技术创新的基石。可以说，正是这些科学模型在不断地改变着我们的世界。

形式化了的科学模型不如专家意见那样普遍，因为只有极少数的专家意见经得起来自本领域的众多人士的检验。历经检验的正式模型在建立共识和协调专家意见时十分有用。

科学模型在流域管理中有重要的应用价值。本书的第 5 章中回顾了大量专门为支持流域管理而开发的单学科科学模型。这些模型还存在着一些不足之处：每个模型都对流域过程的某些方面进行了详细的描述，但是对其他方面，仅是稍加提及，甚至根本没有考虑。例如，在一个水文模拟模型中，可能会花费很大精力进行有关河水流量的模拟，但是却假设流域的景观特征如植被覆盖保持不变。相反，在一个植物演替模型中，植物物种密度依据植物物种间相互的作用、土壤特征以及营养状况之间的关系可能是随时间变化的，但是它却应用年平均土壤湿度指数作为土壤湿度参数，根本就忽略了暴雨产生的径流对植被演替的影响。由此，水文模型和植被演替模型会导致不同的管理方案。

多学科管理模型

针对单学科科学模型的缺点，许多科学家开始展开协作，共同开发支持流域管理的综合型多学科模型。一系列的挑战摆在开展这些工作之前，如开发协调软件相互调用的各种标准、软件集成的成本以及流域管理小组对综合型模型精度能否接受。本书的大部分内容致力于评价多学科管理模型的成本和效益。

哪一种建模方法最好

在日常工作中，管理人员常应用非正式的常识模型、经验模型和专家模型。正式的科学模型和多学科模型被科学家所使用，这些模型通过改善管理人员的非正式的建模方法来对管理决策施加影响。合理建模方式的选择要基于一系列复杂而又相互交织的问题：资金、时间、精度需求、法律先例、地方专家意见、利益相关者的收益、科学知识以及其他地区的成功经验。Funtowicz 和 Ravetz(1991 年)提出了评判最佳决策的两个因子：利益相关者的收益和科学知识。如果风险和科学不确定性都较低(例如，科学知识已被很好的掌握)，那么应用科学模型足可以用于制定决策；如果风险和(或)科学不确定性都较高，那么专家咨询应该取代应用科学模型；如果风险或科学不确定性再升高，那么就要遵循后规范科学来进行决策。所谓后规范标志着随着时间的推移，所言的科学即便实际上不总是，但起码理论上也是能足够应付社会挑战的。Funtowicz 和 Ravetz(1991 年)认为土地管理已经进入了一个新的时代，在这个时代里，管理者不但需要科学提供的片面认识，还必须考虑地方经验、广大同行的见识以及利益相关者的信任与感受等内容。他们还提出了制定决策的三步法：首先应用科学知识，然后听取专家咨询意见，最后再运用后规范科学。决策程序如果按照以上步骤进行，错误的决策要么不能被执行，要么成本过高，或者被收回重新讨论。流域模拟建模工作可以和这三个步骤同时进行。如图 2-4 所示，流域管理人员如果只是追求较低的科学不确定性和利益相关者收益，那么应用科学模型就足够了。专家模型支持专业咨询意见，而理念模型支持后规范科学。

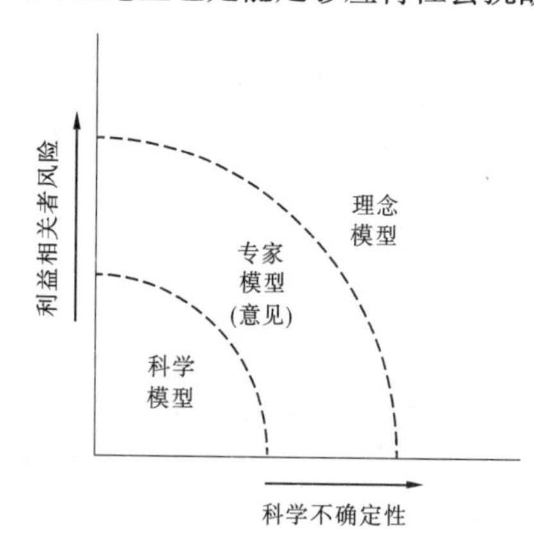

图 2-4　建模在不同利益相关者收益和科学不确定性等级上的作用

前述的每个建模范例和方法在土地管理中都可能具有实用价值。如果科学确定性很高而利益相关者的风险很低,那么应用科学模型就足够了。而且因为缺乏收益,利益相关者也不再会花费时间参与管理工作。如果科学不确定性和(或)利益相关者的利益比较高,那么基于科学的模型尽管具有潜在价值,但是已经没有足够的能力完成这样的工作了,只有根据专家意见才能达到这一目标。更高的收益和(或)更高的不确定性要求最终的决策在政治程序的基础上制定,在这一程序中,基于科学的模型可以支持专家意见,进而作为证言而进入到政治过程。本书认为科学模型通过多学科管理模型的集成将会发挥更大的作用。

第3章 生态建模和模拟展望

动态的流域模拟建模必须坚实地建立在现代生态学理论之上。在进行流域建模时，充分考虑生态学中各个分支的现代理论是非常重要的。如果一个流域模型只考虑(并推动)一个单独的生态学分支理论，那么这个模型可能是不完善的。Wu 和 Loucks(1991年)指出："为了统一生态学的概念和理论，一个具有层次性的思考问题的方法是恰当和必要的。生态学的统一可以通过加强对生态现象的多尺度和多样性的研究来实现。这种统一化的展望并不排斥各种生态尺度上的多元研究，而是建立在这些研究的基础之上。"

本书在随后的3.1节中对刊载各种生态学理论和科学成就的文献进行了回顾。回顾内容涉及了均衡理论、非均衡理论、层次理论、复合种群和斑块理论以及景观生态学。这些理论和成就为我们了解过去的景观建模和模拟工作提供了历史背景。在本书3.2节中，区分并简要介绍了一些生态建模系统。

3.1 生态学基本理论

本节提供了一个关于各种现代生态学理论的简要文献回顾。在我们开发新的用于管理决策支持的生态学模拟模型时，必须尊重这些理论。以下每一小节都简要地讨论了一个当代生态学的分支理论，并且给出了应用这个理论设计开发生态建模和模拟软件的方针。为了帮助科研人员定义下一代建模环境，本书的第14章对本节讨论的各种理论作了总结。

均衡理论

均衡理论假设，当一个系统受到扰动后，总是寻求回到均衡状态。Wu(1994年)指出，柏拉图和亚里士多德提出了第一个超级个体[1]的自然界平衡(supraorganismic balance-of-nature)的概念，瑞典博物学家 Carolus Linnaeus(1707～1778年)称其为自然组织法则的平衡(the balance Oeconomia Naturae[2])。Clement(1936年)提出群落生态学的机体论观点(organismic viewpoint)和生态系统的演替过程，即生态系统会自发地趋向于一个顶极状态，也就是一个自然平衡状态。自然环境建模的分析方法就是在这个基本理论的基础上发展而来的。Kingland(1985年)在文献回顾中指出，第一个自然环境建模分析方法是 Pierre-Rrancois Verhulst 的 Logistic 方程。其他例子如 Lotka-Volterra 方程、Rizenzweig-MacArthur等的捕食者与被捕食者方程、Leslie 方程、Nicholson-Bailey 的宿主与寄生者模型以及由 DeAngelis 和 Waterhouse(1987年)所回顾的现代派生模型。上述的模型或者方程大都是解析式的并存在着明确的均衡点。即使有的模型或者方程最后

[1] 译者注：超级个体(Supraorganism)，由植物、动物、土壤和水组成的小规模的生态群落。

[2] Oeconomia：古英语及拉丁语，与 economic 相近；Naturae：古英语，与 nature 相近。这里取自神学论述，其原意是上帝是自然系统的最大组织者，是神学者为了将神学与自然科学统一而提出的。

进入动态均衡状态，那么它们也存在使其达到最终稳定状态的条件。

以下是基本 Logistic 方程的差分形式

$$P_{t+1} = P_t + R(C - P_t)/C \tag{3-1}$$

式中 P——种群规模；

R——种群最大生产率；

C——环境容量。

每个时间步长中的种群规模通过前一个步长的种群规模和当前时段内种群出生数量相加得出。种群出生率随着种群规模接近其环境容量而降低。图 3-1 是一个应用Logistic 方程的示例模拟结果。

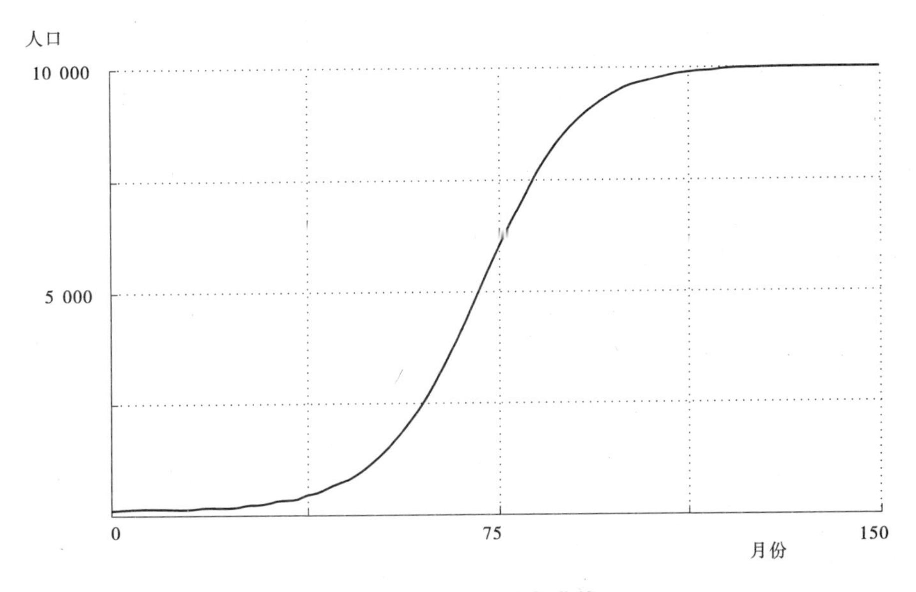

图 3-1　Logistic 生长曲线

Lotka－Volterra 模型是一个用微分方程表达的双物种捕食者—被捕食者模型。在模型中，P 表示被捕食者数量，H 表示捕食者数量，模型基本方程形式如下：

$$\mathrm{d}P/\mathrm{d}t = a \cdot P - b \cdot P \cdot H \tag{3-2}$$

$$\mathrm{d}H/\mathrm{d}t = e \cdot b \cdot P \cdot H - c \cdot H \tag{3-3}$$

式中 a——被捕食者(P)在不存在天敌的情况下的自然增长率；

b——被捕食者(P)在遭遇捕食者(H)情况下的死亡率；

c——捕食者(H)在食物难以获得的情况下的自然死亡率；

e——捕食效率[3]。

$\mathrm{d}P/\mathrm{d}t$ 读作“被捕食者数量随时间的变化”，其中 d 为“delta”的缩写，delta 在数学中用来表示数量变化。方程(3-2)说明，在任意时间内被捕食者数量的变化等于被捕食者的稳定自然增长率(a)乘以被捕食者的种群数量然后再减去被捕食者遭遇捕食者时的死亡

[3] 译者注：捕食效率为捕食者利用猎物而转变为更多捕食者的能力，这个值越大，捕食的效率越高，对于捕食者增长的效应就越大。

数。在这里需要注意，被捕食者或者捕食者数量的增加都会导致被捕食者的死亡率上升。又如方程(3-3)所示，捕食者数量随时间的变化等于捕食效率乘以被捕食者因为遭遇捕食者而造成的损失，然后减去捕食者的自然死亡数。方程(3-2)和方程(3-3)为研究自然环境中多元捕食者—被捕食者系统提供了理论基础。

基本的 Nicholson - Bailey 宿主与寄生者模型，可以用以下形式的差分方程表达：

$$H_{t+1} = R \cdot H_t \cdot \exp(-a \cdot P_t) \tag{3-4}$$

$$P_{t+1} = c \cdot H_t[1 - \exp(-a \cdot P_t)] \tag{3-5}$$

式中 H——宿主数量；

P——寄生者数量；

a——寄生者的有效搜索面积；

c——被感染宿主体内寄生者平均数量；

R——未感染宿主繁殖率；

$\exp(-a \cdot P_t)$——基于寄生者搜索效率及其密度得出的能够免于寄生虫病的宿主数量。

Leslie 模型将种群按照年龄分成不同的群组，每个年龄群组赋以不同的存活率，然后预测未来种群规模。因为各个年龄群组的繁殖率不同，所以种群出生率随时间而变化。本节中的三个模型实例(Lotka - Volterra 模型、Nicholson - Bailey 模型和 Leslie 模型)只是大量用来描述和预测种群规模随时间变化的种群方程及种群间相互作用方程的一小部分，它们是一系列结构简单、功能强大，而且仍在用于教学和种群生物学研究的模型的代表。在本节讨论的种群生物学模型中，绝大部分描述种群变化的方程，都定义了能够到达稳定均衡状态的种群轨道。

即使均衡状态在自然界中存在，事实证明，它们也难于捕捉，因为在真实环境中，一旦系统达到稳定状态，各类扰动马上会使其偏离均衡状态。扰动过后，系统又会继续寻求达到均衡或者顶极状态。扰动理论证明，生态系统总是处于一个波动状态之中。各种方程的分析方法只有在建模系统位于或者接近于某一个均衡点时才有实用性(Reice，1994年)。来自环境的扰动使得各类生态小环境对外界系统开放，因此，扰动被视为生态多样性的主要贡献者。各个尺度的生态系统都会受到扰动，扰动可以通过其空间分布、发生频率、扰动后复原时间、循环周期、发生面积、强度、烈度以及加乘作用加以描述和区别。

非均衡理论

Wiens 等人(1986 年)提出，研究长期自然过程类似于应用为数不多的几帧图像去制作一部电影。从人类自身的角度，自然系统易被看做处于或者正在接近均衡状态的较大系统。然而，那种认为在人类认识尺度上看起来稳定的系统状态就是真正的均衡状态的假设并不正确。或许，自然系统处于持续的波动状态之中，永远不能达到均衡状态。Wu 和 Loucks(1991 年)以及其他一些科学家认识到，均衡状态需要依赖于密度的种群调节，同时他们提出，几乎没有直接证据能够证明上述种群调节作用的存在。Caswell(1978 年)提出，均衡理论仅限定于系统位于或者接近于均衡点时的行为，而非均衡理论明确地考虑了系统的瞬时行为。在此之后，DeAngelis 和 Waterhouse(1987 年)又提出，生态系统在小的空间尺度上的动力学特征是短暂的现象，不具备均衡属性。O' Neil 等(1986 年)和

Urban等(1987年)进一步证明,在一些较小尺度上却表现出非均衡属性的过程,在较大尺度上看起来却是均衡的。例如,火在一个短时间间隔内,呈现出不稳定特征,但是在长时间间隔内,却是稳定的(Loucks,1970年)。

Chesson和Case(1986年)将非均衡理论划分成以下四类:

(1)"缺乏均衡点"类:这类理论研究的系统状态持续地以数学中随机数字或者混沌的形式波动。有人认为这类系统处于均衡状态,因为可能的系统状态都围绕着混沌吸引子周围,也就是说,测量到的系统状态尽管永远不会停留在均衡状态,但总是围绕着一个或者多个特定状态波动(有时为振荡)。

(2)强调"密度或者环境变量的波动"为生态系统的主要过程。

(3)认为气候波动的平均值随着时间变化,因此历史因素非常重要,此刻生态系统的适应期需要几个世纪。

(4)竞争置换理论。该类理论认为"偶然性和历史可能是群落结构的主要造就者"。这是一个期待意外事件的观点。在一个特定时间尺度上看起来随机发生的事件,可能是一个更大的时间尺度上的可预测系统行为。

从本质上讲,各类非均衡理论都认同自然系统处以持续的波动状态之中,而这个波动在自然系统的各个尺度上同时发生。

层次理论

生态系统的可预测性与生俱来地依赖并制约于研究尺度(Loucks等,1985年;May,1986年;Levin,1989年)。任何自然系统都可以从多种尺度研究:从亚原子到生态系统,甚至更大。生态系统是否存在当其受到扰动后,使其回归某种均衡状态的过程,取决于选择的尺度。科学家从不同的尺度观察和研究不同的过程,"因此,在生态学中没有一个永远正确的研究尺度,更不存在各个尺度都成立的普遍规律"(Wu和Loucks,1991年)。

Wiens等(1986年)提出,一些生态学家之间争执不休的分歧源于他们选择了不同的研究尺度。他们通过不同生态学家从五个尺度研究长耳野兔和草原狼的关系所显示出的差异来论证这个观点。以下为五个研究尺度的具体定义:

(1)动物生活的具体位置,即一个动物的领地;

(2)多个个体共有的一个局部斑块,即一个种群占有的整个空间范围;

(3)通过传播而相互联系多个当地种群,即一个复合种群;

(4)一个封闭的系统,即相互隔离,并具备连续物理和生态学特征的生态岛;

(5)存在不同的气候类型和物种组合的生物地理尺度。

依赖于选择的时空尺度,在研究中,这两个物种既可能显示出高度的相关性,又可能看起来完全独立。单一地点的短期行为研究将可以了解长耳野兔和草原狼的摄食习性。在研究期间,可能会发现两个物种间相互作用,也可能没有机会,这一点可能取决于研究期间所处的季节。因此,有关种间作用的结论也难于在这类研究中明确得出。一个在人为控制的环境中进行的追踪种群规模变化短期野外试验又可能会总结出捕食者—被捕食者相互作用控制着两个种群。一个中期的野外试验可能会得出,尽管两个种群之间存在着捕食者—被捕食者关系,但是它们的种群规模并不依赖于对方的存在数量。一个超过十年的中期种群普查可能不会发现两个种群间存在某些特定的关系,而会得出种群规模主要受到天气状况的影响。一个短期区域性种群普查可能发现,长耳野兔和草原狼种群规模之间存在正的或者负的相关性,当然也可能发现他们之间根本就没有关系,研究结果最终还是取决于采样地点的选择。每一个关于生态系统的观点都有其优点和不足,而且每个观点都为生态学理论增加了一个能够自圆其说的认识。土地管理人员、建模人员和生态学家必须勇于跳出自己特有的模型和方法的圈子,从不同的时间和空间尺度来观察生态系统。做到这一点,可以确保针对需要回答的特定的问题或者问题集,选择出合适的研究尺度。

层次理论提供了一个框架,在这个框架之中,研究人员可以观察和综合不同的生态学尺度。这个理论已经非常成熟,目前已有几部专著出版(Allen 和 Starr,1982 年;O'Neill 等,1989 年)。在层次理论中,有三个尺度:时间、空间和组织。这里的组织指的是生物的组织水平,通常情况下,不同组织水平相互嵌套。例如,原子组成分子,分子组成细胞,细胞组成器官,器官组成个体,个体组成种群,种群组成群落,群落组成生态系统。在具体研究尺度上(例如样本中某一元素的原子,或者一个县范围内的老鼠),应用大量样本描述的自然现象被称为大数系统,非常适合应用统计学方法研究;应用非常少样本描述的自然现象被称为小数系统,一般通过仔细并深入研究每个样本来处理。在人类的认识尺度上,景观的组成成分对应用统计学方法而言,其数量太少,但是对于深入研究每个样本的处理方法来说,景观组成成分的个数又太多了。因此,层次理论主要应用于中数系统(Allen 和 Starr,1982 年)。

层次理论将各个组织水平连接起来。较低水平生物组织在较小的空间分区和较短的时间段内运转。个体在很小的时间和空间尺度上运转,而生态系统在相对大得多的时间和空间尺度上运转。有人已经讨论过上述三个尺度之间看起来很简洁的关系,并将其绘制成为时间—空间示意图。《海洋水动力学》(Stommel,1963 年)和《景观生态学中的过程》(Urban 等,1987 年)两书中,已经开始使用这类示意图,用来表达简单明确的关系(Johnson,1993 年)。Delcourt(1991 年)将时间和空间的组合划分成四个时空域(涵盖研究人员感兴趣的全部时间和空间范围):

- 微尺度(1～500 年,1～10^6m^2):绝大部分生态学家都熟悉这个时空域,在这个时空范围内,存在着种群动力学、种群生产力、种群竞争和种群对扰动事件的响应。
- 中尺度(10^4 年,$10^{10}m^2$):景观镶嵌体和流域支配着这个时空范围,其间生存的动物和植物对扰动模式产生适应性。
- 大尺度(10^6 年,$10^{12}m^2$):这个时空范围的生态过程涉及到第四纪研究。物种的迁移发生在次大陆的尺度上;物种传播速度、物种遗传学以及物种灭绝定义在这个尺度上。
- 巨尺度(大于 10^6 年,大于 $10^{12}m^2$):在这个尺度上,定义了行星学现象,如地球上生物圈、岩石圈、水圈以及大气圈的发展和生命的宏观进化历史。

根据层次理论,生态系统源起于进化过程,而进化过程倾向于造就具有嵌套层理组织结构的系统。生态系统的每一个组织水平,都由可以识别的子系统构成(Johnson,1993 年)。对生态建模来说,建模人员通常只需要考虑三个组织水平:需要回答的问题所处的组织水平、为解决问题提供背景(或者约束)的更高的组织水平、包含着建模需要的系统发展规律与系统组成结构的低一级组织水平(Johnson,1993 年)。在大部分情况下,层次系统中更低一级组织水平的动力学规律,完全可以应用这一级子系统的平均状态来代替,或者不去考虑,因为它们已经衰减,并被集总到中间组织水平的变化规律之中(O'Neill 等,1986 年)。例如,景观生态学家试图将景观更低一级尺度上的复杂性表达成单独的数字和指标(Turner 等,1989 年)。

在生态系统中,并不是所有的层次具有严格如"原子、分子、器官、个体……"的先后顺序。例如存在于个体组织(如肠道)内的生态系统、在个体或者其他种群内存在的种群(如病毒),或者在几个群落内活动的种群(如鸟类)。

复合种群和斑块理论

本小节讨论的是一个研究生态系统中的资源和过程的空间分布的方法。这种方法的理论基础来源于岛屿生物地理学理论(MacArthur 和 Wilson,1967 年)和支持复合种群理论的早期论述(Andrewartha 和 Birth,1954 年)。岛屿生物地理学为描述稳定种群与邻近但不相连、并存在不稳定种群的区域(岛屿)之间关系提供了一套理论和数学框架。通过描述多个存在不稳定种群的区域(岛屿)之间的相互作用,复合种群理论拓展了岛屿生物地理学的概念,并为描述使相互类似的竞争者共存于一个斑块状环境的过程提供了理论基础(Levins 和 Culver,1971 年;Horn 和 MacArthur,1972 年;Slatkin,1974 年)。

Levins 等人(Levins 和 Culver,1971 年)开发的空间显式数值模型形式简单,功能强大。大量文献探讨了复合种群理论及其与复合群落理论、景观生态学、岛屿生物地理学、斑块状环境和保持生态学之间关系,而 Levins 模型是这些成果的研究基础。关于这一点,Hanski 和 Gilpin(1991 年)作了很好的回顾。复合种群理论提供了一个简单的机制,这个机制能够解释为什么在一个景观之中可能存在若干个直接竞争者。在一个完全均匀的环境中,最成功的竞争者将会驱逐劣等竞争者。因为振荡和扰动,真实生态系统在各个水平的层次组织都不完整。在这样一个动态异质的环境中,复合种群理论证明了紧密的竞争者可以以一个无限大的数量共存。经过生态学家的发展,Levins 基本方程已经有了大量扩展形式。Hanski(1985 年)将迁徙过程添加到 Livins 模型(建立了一个三态模型)。由外来迁徙引发的动力学复杂行为被证实,会使系统进入其他的稳定均衡状态。Gilpin(1990 年)给出了应用复合种群理论预测真实系统动态的数值计算机模型。最后,Gardner等(1993 年)应用变化的干扰机制和收获方案开展了竞争物种的理论模拟。

物种传播是驱动复合种群不断发展变化的主要动力。Hansson(1991 年)回顾了影响复合种群行为的物种传播特征,并将影响物种传播的因素归纳为三类:经济阈值、资源冲突和同系繁殖可避免性。种群的经济阈值包括重要环境资源,如食物、栖息地以及水的相对可获得性。资源冲突除了涉及上述环境资源外,对潜在配偶的争夺也在其中。即使在各种资源充足可用时,动物保护其领地的行为也可能引发迁徙。此外,有些迁徙行为看起来只与避免同系繁殖的动机存在关系。种群规模和不同物种的传播速度有关。

关于生态系统组织的层次,Hanski 和 Gilpin(1991 年)根据复合种群各个发展阶段的理论,定义了复合种群的尺度序列,如下所示:

- 局部尺度:在这个尺度上,个体进行生存活动,并因为摄取食物和繁殖后代而产生个体间相互作用。这是复合种群尺度之下的第一个尺度,它提供了运行在复合种群之后的动力学规律。

●复合种群尺度：在这个尺度上，个体极少从一个地方（种群）迁徙到其他地方（种群）。跨栖息地的迁徙通常不适合摄取食物和繁殖后代，而迁出的个体常常会伴随找不到一个适合生存的栖息地的危险。

●地理学尺度：这个尺度是物种生存的整个空间范围，一般情况下，个体没有机会活动于这个尺度的大部分范围。这个尺度为复合种群动力学提供了发生发展的背景环境。

复合种群理论为我们接受竞争相同资源的多个物种在一个景观中可以共存提供了基本理论，而斑块理论为我们提供了一个在空间显式模型中捕获种群动态变化的框架。现已证明，景观和栖息地中的拼接斑块对于允许局部物种灭绝发生，但在更大尺度上维持种群生存非常重要（Deangelis 和 Waterhourse，1987 年）。

Tilman 和 Downing（1994 年）令人信服地论证了空间布局是生态系统的重要变量。在上述文献中，他们提出，移殖[4]限制在演替动力学中非常重要。演替理论定义了一个在任何气候条件下都存在的植物群落演替。演替理论的基本原理最早由 Clements（1936 年）提出，其主要内容为：植物演替的实际轨道并不固定，而是可用种源的一个函数；局部扰动模式定义为火灾、病虫害、洪水以及其他干扰形式；植物的生理学容量取决于扰动。

现在已经有大量关于栖息地的子区域内，允许两个物种以复合种群的形式共存的理论示范，如宿主—寄生者、捕食者—被捕食者间相互作用以及合作行为的进化等。这些示范都提到了一个在 Levins（1969 年）、Hastings（1980 年）以及 Nee 和 May（1992 年）等人工作的基础上发展起来的空间显式模型。这个模型证明了：①一组物种不可能占有栅格化模拟环境中所有的空间；②在一个网格中，可以存在一个单独的个体，而这个个体，在模型中代表其所属物种；③任何物种在向一个开放网格移殖时，都不具备空间优势（即使是邻近网格的物种，较远处网格的物种，也不具备空间优势）；④因为竞争优势物种为低数量散布者，任何数量的物种可以共栖一处。应用这个模型，Timan 和 Downing（1994 年）证明了栖息地的破坏对最优竞争者的影响最大。

空间显式模型将斑块划分成固定大小的网格，已经被用来解释从自然界观察到的现象。Reice（1994 年）证明，一旦栖息地开放，那么随后进入栖息地的物种的比例是不可预测的。扰动水平的上升必然会引起生物多样性的上升。例如，因为有更多的扰动，河流比池塘拥有更高水平的生物多样性。通过 1 - 斑块模拟模型，2 - 斑块模拟模型和 3 - 斑块模拟模型，Wu 等（1993 年）模拟了源汇相互作用与种群的持续状态和恢复能力。这些模拟试验解释了一些自然界的现象。例如，Walde（1991 年）在每组分别有 1 株、4 株和 16 株的苹果树（林）上，研究了寄生在苹果树上的螨类及其捕食者，并得出最大的种群密度以及最持久的种群和数量最多的一组苹果树有关。与这个试验相似，Robinson 等（1992 年）通过研究草地斑块发现，斑块的面积越大，个体在斑块内的存留期越长。这个研究还得出一个有关缩放比例的结论：大型哺乳动物在面积大的斑块竞争能力最强，小型哺乳动物更适应面积小的斑块。小型哺乳动物的分布描绘了一个“源—汇”模式，其中面积较小的地块作为个体的“源”。这些小动物直接竞争环境资源，因为它们占有着不同斑块大小的自然分区，所以他们可以共同生存。

---

[4] 译者注：此处用词无误，所谓移殖，为物种或者种群从原有栖息地迁出，到其他栖息地生存、繁殖。

景观生态学

如前所述,不同的自然过程发生在不同的时空尺度上。景观管理专业人员通常把他们的注意力集中到时间分辨率从几周到几十年,空间分辨率从几公顷到几千公顷的尺度上,这同样也是景观生态学研究的时空范畴(Turner,1989 年)。Delcourt 和 Delcourt(1991 年)认识到了,通过研究第四纪(过去的 180 万年)尤其是全新世(过去的 1 万年)以来景观状态的变化来认识现代景观的重要性。景观生态学特别关注景观尺度上人与自然的交互层面,并趋向于对各种人与自然的交互过程开展整体分析。这类分析反映在大量的景观指标上,景观生态学家希望用一些数字,也就是这些指标来描述整个景观的本质特征。例如用"优势"来描述最普遍特征的测度,用"漫延度"描述一个普遍特征在一个区域内的传播,用"分维数"来描述空间格局的可重复性(O' Neill 等,1988 年)。景观生态学家发展了几十个类似上述指标的测度,其中许多指标具有尺度特征(Turner 等,1989 年)。

另外一组景观生态学相关指标源于渗透理论。这个理论主要关注景观中斑块的格局,特别是具有一定面积的不规则斑块构成廊道的可能性,而廊道使景观得以延续。Caswell(1976 年)提出了"中性模型"的概念,并简化了随机产生的计算机景观,这些景观用来提供适合生存或者不适合生存的栖息环境。例如,假设动物或者植物只能生活在适合其生存的栖息环境,并且不可能穿越不适合其生存的区域。研究景观生态学的学者可以就这个系统提出许多问题。Gardner 等(1991 年)证明了,当景观覆盖度低于 0.6(60%)时,景观内的斑块高度破碎。他们的模拟证明了"最大可能传播距离的微小变动会导致物种丰度和栖息地利用率发生很大变化"。Turner 等(1989 年)运用渗透理论,针对中性地图中不同的栖息地密度,评价了扰动的强度和频率,并得出:扰动的频率和密度对中性模型景观存在不同程度的影响。当栖息地占据景观不足一半的面积时,栖息地对扰动频率很敏感,而对扰动密度的响应很微弱。如果栖息地占据的面积超过景观的 60%,栖息地对扰动频率的敏感性降低,而对扰动强度更加敏感。O' Neill 等(1992 年)通过应用随机模型,证明了具有层次结构的景观(与随机中性模型景观相对)拥有较小的周长,对于稀疏景观,其聚集程度较低,而对于密集景观,其聚集程度较高。这一点使得渗透在很广泛的条件下都可以发生。

毫无疑问,现代生态建模环境必须为建模人员提供开发空间显式系统的机会。景观基质内的拼接斑块对确定种群密度的过程来说,是必不可少的景观要素。在每一个空间尺度上,斑块可能都很重要,尽管大部分研究都集中在可以区分个体或者复合种群的尺度上。

3.2 生态模拟软件

在生态学的原理、理论和试验数据的基础上,生态学家开发了一大批基于计算机的模型和建模环境。本节主要探讨这些开发成果。

动物模拟

基于计算机的动物模拟可以分为以下几类:①用来研究行为、遗传和进化的基于个体的模型;②复合种群理论模型;③为流域和区域管理服务的基于种群的模型。DeAngelis 等人(1998 年)已经开发了几个用来研究鱼类种群相应的基于个体的模型。基于个体的建模还被用来以 15min 为间隔，研究林鹳的行为和精力（Fleming 等，1994 年）。Risenhoover（1997 年）描述了一个被称为“鹿管理模拟器（DMS）[5]”的空间显式并基于个体的鹿行为的模拟模型。这个模型是为了帮助美国国家公园管理局解决有蹄类动物种群规模过盛所引发的问题而开发的。鹿管理模拟器集成了土地覆盖信息、鹿种群初始位置、鹿的摄食行为，并提供了用户菜单和交互界面。这个软件现在已经可以通过互联网下载（Risenhoover，1997 年）。另外一个例子是“生态系统管理模型”，它将 ARC/INFO（一个地理信息系统软件）和一个基于 Fortran 的生态系统景观模型集成在一起，为位于加拿大阿尔伯达省中部的麋鹿岛国家公园的管理服务。这个模型综合了一组子模型，包括一个关于植物生产力和生长、空间显式、面向过程的子模型和一个重点关注种群动力学、掠夺行为、寄生虫病以及动物状态的有蹄类动物的模型。现代的计算机允许我们建立非常复杂的模拟模型，这些模型能够将我们在较低组织水平上对自然界的认识集成起来。基于个体并具有明确空间特征的模拟模型目前正处于成长阶段，在自然资源管理中有着很好的应用前景。

景观生态学家经常应用种群建模。基于种群的模拟建模对其辅助软件的需求程度足以支持商业软件产品开发。Applied Biomathematics 公司[6]支持 RAMAS[7]系列生态软件的开发。自 20 世纪 80 年代中期以来，基于群落和基于种群的模拟建模拥有了软件支持。复合种群模拟模型可以帮助自然资源管理人员考察两个或者多个被空间隔绝的种群杂交繁殖的重要性。近来，RAMAS 的 GIS 工具包已经明确地支持空间模拟。栖息地适宜性（HS）模型直接应用存储在栅格形式的 GIS 数据层中的信息，其输出的适宜程度图被软件系统自动分析，并识别出栖息地斑块，而这些斑块又被自动反馈到标准 RAMAS 中的关于群落和种群子模型之中。这个软件是在本章前一部分讨论的复合种群和斑块理论的基础上创建的（Whigham 和 Davis，1989 年；Buckley 等，1993 年；Cuddy 等，1993 年）。

人工生命是一个新学科，它应用计算机程序来模拟物种之间的竞争，探讨了基因进化的概念。这些计算机程序被赋以繁殖、在虚拟空间中移动和变异的能力，经过演化发展，这些程序的最终形式和它们的初始状态大不相同。现在，在人工生命研究领域，已经流行几个功能强大的建模环境，如 Tierra、SWARM 和 PolyWorld。Tierra 模拟器是一个研究生态和进化动力学的系统（Ray，1994 年）。它是一个虚拟的计算机及其操作系统组合体，这个组合体可以执行那些自身能够进化，并可以与其他程序竞争的机器代码。在 Tierra 中，虚拟计算机的架构可以改动，用户有充足的机会开发能在这个环境中运行的软件程序。SWARM 是一个与 Tierra 相似的环境，它用来发展和探索模拟生命体的自然行为（Hiebler，1994 年；Minar，1995 年）。开发 SWARM 的目标是设计一套用来研究复杂性的标准化工具。英文单词“Swarm”的原意是蜂群，在这里的意思是可以组合在一起，并可以看做是一个单元的一组相似实体。而这个单元又可以和相似的单元组合在一起，形成一个层次。SWARM 中的每个实体都独立运转，它们的行为取决于系统的内部和外部状态。

---

[5] DMS—http://www.nature.nps.gov/dms/dms.htm

[6] 译者注：原文没有公司字样，通过麻省理工学院人工智能实验室的网址得知，Applied Biomathematics 为一公司名称，以开发生态软件著称。

[7] RAMAS Ecological Software—http://www.ramas.com

PolyWorld是Sun计算机公司开发的一个简单而功能强大的人工生命系统，“它试图将真实生命系统中的所有基本要素都集成到一个单一的人工生命系统之中”（Yaeger，1993年）。它为人工生命赋予了广泛的行为（如摄食、交配、战斗、移动、转弯、集中和点火等），并运用神经网络为人工生命提供了学习能力。上述的以及其他一些人工生命程序可以在互联网上获得。麻省理工学院的人工智能实验室[8]和Santa Fe研究所[9]是这类研究非常出色的出发点。

景观模拟

生态学家在进行景观层次上的生态过程模拟时，发展了许多模型和建模方法。森林生态学家在这一领域的创造非常丰富，他们开发了一系列建模环境。JABOWA模型（Botkin等，1972年；Botkin，1977年）就是其中的一个例子。它是一个：基于个体的模型，主要研究树木的生长过程及其对小范围（10m^{2}左右）内的相邻植株的影响。如果在这样一个范围内没有大树，森林冠层必然会出现缝隙。冠层缝隙模型的最新的几个版本都模拟了大量与栅格GIS中的网格相匹配的冠层缝隙。ZELIG就是这样一个模型，它先将景观划分成网格，然后又将网格分割成冠层缝隙大小的地块，并以此构造了一个动态模拟环境（Urban等，1991年）。这些地块可以通过其区域内各种覆盖类型的比例加以区分。Mladenhoff等人（1993年）设计开发的LANDIS也是这方面的一个模型，它同时模拟大型栅格矩阵中的每一个格点。在这个模型中，个体树木被作为格点的一部分处理，这些格点考虑了大小、位置、类型以及格点内所有树木的状态。除此之外，模型还允许相邻格点动态地相互影响。

在以下模型实例中，着重介绍了基于斑块理论（见本章前一部分的讨论）建模方法。PatchMod是一个：①空间显式，并且年龄和规模都结构化的斑块种群统计学模型；②多物种植物种群动力学模型。PatchMod最早用来模拟位于JasperRidge（北美的一个地名）的“S”形状的草地，生存在那里的囊地鼠建筑土堤的活动，是斑块自生扰动的主要形式（Wu，1994年）。通过一个服务于植物和四蹄动物管理目标的生态学建模接口，生态学家把GIS软件ARC/INFO和一个基于Fortran的生态系统景观模型结合起来。为了便于模型开发，生态学家把自然系统划分成12个初级子系统（Buckley等，1993年）。

为了辅助土地管理人员和政治家选择关于土地长期利用的最优决策，科学家应用网格化建模方法，设计开发了大量河口与流域模型（Costanza等，1986年；Costanza和Maxwell，1991年）。最近，建模人员又应用这个方法开发Patuxent[10]景观模型（Costanza等，1993年）和Everglades[11]景观模型（Costanza，1992年）。一个名为“空间建模环境”（SME）的软件是以上两个模型的开发基础，目前，这个软件的作者仍在对其进行开发和完善（Maxwell，1995年）。森林火灾模拟同样也是应用网格化建模方法进行的（Rothermel，1972年；Clarke等，1993年；Kessel，1993年；Cancalves和Diogo，1994年）。这类模型一般都基于网格，并使用了有物理意义的控制方程。此外，这类模型还选用合适的

---

[8] 麻省理工学院人工智能实验室—http://www.ai.mit.edu
[9] Santa Fe研究所—http://www.santafe.edu
[10] 译者注：地名，Patuxent河流经此地。
[11] 译者注：地名，Everglades河流经此地。

随机函数来描述与森林火灾有关的不确定性事件，如余烬复燃、旋风突然转向之类。在森林火灾模型中，如果网格内的可燃物起火，那么即认为这个网格已经着火。相邻网格是否会起火取决于这个网格火的强度、当地的坡度、高程以及当时的风速风向、温度和湿度状况。

在这一章中，我们简要地回顾了一些基本的(有些是相互竞争的)生态学理论，这些理论在不同程度上为流域模拟建模提供了基础。我们研究内容的下一级组织水平是模型的最佳尺度。流域建模需要我们着重研究流域的主要要素，如植物物种和甚小型动物物种的种群、大型个体的行为以及流经系统的水和空气的运动情况等。本章中基于个体或者种群的模拟模型的实例帮助我们对建模可行性产生了初步的认识，目前，在流域管理工作中，建模可行性被用来辅助个体和种群建模。本书在第Ⅱ部分的第5章和第6章中，结合管理决策，进一步探讨了流域建模的时机。

第 4 章　水文建模和模拟展望

与生态学不同，水文学领域有大量物理意义明确的基本方程，而且这些方程已经广泛地被人们接受。不管研究区域在地球的哪个位置，这些方程都可以不加更改地用来描述水的行为。这一点和生态学建模相比有着强烈的反差，因为在生态学中，没有基本的系统运算法则，生态系统的主要过程空间变化非常大。现在几乎没有适合在景观和流域管理方面应用的生态学模型，因为它们基本是针对某一具体位置而开发的。一般而言，开发生态模型最有效的方法就是从设计开发生态学模拟建模环境入手，在这个建模环境中再详细地定义当地的生态学相互作用及行为。与此相反，水文学的建模方法可谓多种多样，现在已经有多种不同的水文模型，而且有良好的用户界面。Singh(1995 年)对水文学模拟建模作了出色而全面的回顾和介绍。

大量涌现的研究方法和来自社会的关注促进了水文模拟建模的成熟。基于计算机的模拟模型已经可以描述水循环的各个阶段，如气候和天气、暴雨系统、降水、地面漫流、植被蒸腾、暴雨地面漫流、地下水、河网汇流以及海湾与河口的潮汐等。这些与流域管理有关的水文环节可以明确地分成三类：水的汇流及运动过程、土壤侵蚀过程、作物营养物和杀虫剂以及灭草剂等化学物质运移过程。目前，模拟上述过程的模型已经出现。

流域内降水的运动从坡面漫流开始，然后继续在不饱和及饱和土壤内运动，最后汇流入下游河网。流过地面和下游河网的水量是来水量、地面坡度和地表粗糙度的函数。水文学模拟模型被用来预测流速、径流深度、河水冲刷和沉积物携带能力。为了取得良好的精度，它们必须考虑地表粗糙度、流动阻力、水流动量、表面坡度、河槽深度以及流域土壤性质等因素。水文循环是一个非常活跃的研究领域，而且，为了避免可能的生命财产损失，排除非点源污染造成的健康威胁，社会各界人士不断推动它向前发展。

4.1　模拟模型

本节简要回顾了一些有代表性的模型，并将它们划分成五类。通过回顾对那些为认识和预测流域内水文行为而开发的模型，读者需要理解水文模拟模型的范围及深度的含意。以下就是本书对水文模型的具体分类：

- 田间尺度水文和土壤侵蚀模型；
- 流域尺度水文和土壤侵蚀模型；
- 地下水模型；
- 田间尺度水质模型；
- 流域尺度水质模型。

田间尺度水文和土壤侵蚀模型

田间尺度的模型把研究区域看做是单一的、离散的，并且是同质的空间实体。一般来说，这些模型易于描述，但是难于参数化。因此，在水文学手册上常常出现一个简单的方程后面跟着若干页的参数查找表。如果一个研究区域的确只含有一个优势土壤类型、稳定的坡度和坡向以及单一的管理历史，使用这类模型可以说非常便捷。为了在气候、天气、田间状况、作物、土壤类型(或质量)和地形等因素的基础上，预测预期的农田土壤侵蚀量，水文领域的专家设计开发了田间尺度的水文模型。经过发展，有些模型已经可以用来辅助流域范围内的农牧业管理工作。在应用计算机之前，水文模型的确有必要发展和采用农民和管理人员都能使用的简单方程。所谓的“推理性模型”就属于这一类，它用以下方程计算洪峰流量：

$$Q = 0.002 \cdot C \cdot i \cdot A \tag{4-1}$$

式中 Q——洪峰流量；

C——一个无量纲径流系数；

i——降水强度；

A——流域面积，hm^2。

这个方程建立在许多假设的基础之上，例如假设流域范围内降雨强度在整个降雨历时保持不变，并且流域出口流量保持稳定状态。此外，它还假设流域范围内不存在入渗。最后，这个方程不能预测洪峰流量到达时间以及水文过程线的其他结构。

20 世纪中叶发展起来的“通用土壤流失方程(USLE)”和“修订的通用土壤流失方程(RUSLE)”(Wischemeier 和 Smith，1978 年)是另外两个结构简单的方程，它们预测田间土壤流失的公式是一致的，形式如下：

$$A = R \cdot K(LS) \cdot C \cdot P \tag{4-2}$$

式中 A——预测的平均年土壤流失量；

R——有关当地降水剥离及携带土壤的指数；

K——土壤可侵蚀性因子；

LS——坡度坡长因子；

C——作物覆盖因子；

P——土壤保持措施因子。

在预测研究区域平均年土壤流失量之前，首先要根据区域状况，估计用来反映降水侵蚀性、土壤可侵蚀性、坡长、坡度、覆盖和保持措施的多个指数，然后才能应用方程(4-2)计算。这些指数可以通过多年的研究试验获得。通过应用有关上述指数的参数查找表，任何人都可以应用 USLE 计算一个区域的平均年土壤流失量。RUSLE 改进了 USLE 的一些不足之处，它提供了一个基于 Windows 的用户界面，只要用户设定研究区域具体的坡度、土壤类型、作物覆盖和位置，模型自动查找各类参数。通过几十年的观测和统计分析，专业人员已经确定了 RUSLE 和 USLE 运行所需的参数。尽管如此，这个模型的应用仍然存在一些局限性，例如当研究区的土壤类型和作物覆盖以前未曾研究过，那么在应用模型之前，必须对该地区进行侵蚀性研究，以确定模型参数。此外，如果模型考虑片状侵蚀和细沟侵蚀，与冲沟(由细沟发育扩大形成)有关的侵蚀就无法估计。只有开发面向过程的模型，并应用地理信息系统(GIS)，才能解决以上问题。

USLE 和 RUSLE 假设研究区域是一个性质相对均一、坡度坡向恒定并且土壤类型、土地覆盖和保持措施单一的空间实体。然而地形在时空范围内存在着复杂的变化，因此，模型的应用范围必然要拓展到更大范围的地块上。如果将一个复杂的景观分解成相互存在水文联系的小地块，USLE/RUSLE 就可以用于每一个地块的分析。“区域非点源流域环境响应模拟模型(ANSWERS)”(Beasley 和 Huggins，1982 年)和“农业非点源污染模型(AGNPS)❶”(Young，Onstad 等，1989 年)都提供了这种方法。这些模型仍然在使用各种通过试验获得的 USLE/RUSLE 指数和因子。基于物理的过程模型是田间尺度的水文模型下一步发展的方向，只要知道了研究区的物理性质和土壤组成成分，这类模型就可以应用。空间显式的面向过程侵蚀模拟模型包括 Cascade－2D 模型(CASC2D)(Saghafian，1993 年)、“流域侵蚀预测项目模型”(WEPP)❷ 和“流域侵蚀模拟模型”(SIMWE)(Mitasova 等，1998 年)。这些基于过程的分布参数模型可以直接使用数字地图作为输入。模型的输入包括地形信息，如坡度、高程、土壤质量和作物覆盖，天气信息如合成或者记录的暴雨，以及田间管理计划。模型考虑了如降水剥离土壤和片流、细沟流及溪流搬运被剥离土壤颗粒之类的物理过程。一般而言，只要有土壤结构信息，如砂、黏土、亚黏土和有机质的百分比，纯粹的物理模型就可以帮助 USLE 和 RUSLE 确定未研究区域的参数。因为这些模型计算强度很高，所以只有近来出现了便宜而且快速的计算机之后，它们才变得实用。

基于过程的模型与基于试验及统计的 USLE 和 RUSLE 相比，其计算需求量要比后者大得多。对于那些拥有多种地形、覆盖和管理措施的复杂区域来说，建模时必须明确考虑区域的空间特征。采用基于过程的建模方法允许我们模拟复杂区域而不必预先确定某些指数和因素。基于过程的建模需要使用功能强大(但不昂贵)的计算机，而 USLE 和 RUSLE 方法只须有一本手册、一支铅笔和一张纸就能进行。随着模型复杂性的上升，模型的输入数据更加易于获得，因而模型也更加易于使用，最后模型的经济成本也随之降低。

流域尺度水文和土壤侵蚀模型

一个流域可能包括成百上千的田间尺度的区域。如果这些区域都可以应用田间尺度的模型模拟，那么看起来似乎就可以通过组合所有的田间尺度模型描述流域过程。然而，即便可以应用田间尺度的模型模拟较大的流域，其数据需求必然大的惊人。复杂的流域很难应用田间尺度的模型模拟，即使把流域分割成大量田间尺度的地块，然后分别应用田间尺度模型模拟，其模拟结果的总和对整个流域来说也没有多少应用价值。长期以来，人们都是把流域作为一个整体来模拟。这些流域水平的模型一般都建立在子流域集总参数模型之上。美国土壤保持署开发的 TR－20 和美国陆军工程兵团水文工程中心开发的 HEC－1 就属于这类模型。在这些模型中定义了子流域成分(漫流产流区与河段)的水文响应，并将这些响应连接起来，进而形成全流域的水文响应。在计算机还是通过穿孔卡片输入数据的时代，专业人员就开始开发这类模型，现在，那些过去开发的计算机模型要求

---

❶ AGNPS—http://www.cee.odu./cee/model/agnps_desc.html

❷ WEPP—http://topsoil.nserl.purdue.edu/weppmain/wepp.html

把输入数据做成卡片图像文件。“流域模拟系统(WMS)”[3]提供了一个现代的用户界面，它将存放在GIS数据文件中的信息自动地转化成卡片图像文件。集总参数模型要求把每一个流域子成分概化成若干个数字，这些数字能够描述流域子成分的一般或者累积性质。例如，WMS从栅格和矢量GIS数据中自动提取各个子流域以及与河网有关的集总参数。不过用户仍然需要人工识别具体的河网交叉信息。为了取代HEC-1，陆军工程兵团水文工程中心发布了一个名为“HEC-HMS”[4](水文建模系统)的新软件。这个建模系统集成了一个现代图形用户界面和一个标准的数据库系统。

地下水模型

与流域尺度模型相似，地下水模型最早出现在穿孔卡片作为计算机输入手段的时代。在运行在现代桌面和工作站计算机上的综合系统中，许多过去的模型正在焕发着新的生命。美国陆军工程兵团开发的“地下水模拟系统(GMS)”[5]就是这方面的一个优秀的例子，许多个模型被组合或者合并到这个系统中(Owen等，1996年)。MODFLOW[6]将地下区域划分成离散的三维(3D)块体，每个块体都定义了位置和土壤性质，地下水在这个块体空间流动。MODPATH[7]跟踪了微粒在这个空间的运动。SEEP2D用来辅助模拟从大坝和防洪堤体内和基础下的渗透水流。随后介绍的一些污染物运动和跟踪模型与这个水流运动模型有关。

田间尺度水质模型

水文模型研究了地表水和地下水的运动，水的运动为各种化学物质的传输提供了便利——其中一些化学物质影响水质。现在，专业人员已经发展了许多适用于田间尺度环境的水质模型，在这个尺度上，人们非常关注氮磷钾和各种有机除草剂、杀虫剂的运移。作为一个综合性作物生长建模系统的一部分，“根系带水质模型(RZWQM)”[8]在垂直方向上模拟了水和有关化学物质的运动。“农业管理系统地下水承载效应模块(GLEAMS)”、“侵蚀/生产力影响计算器(EPIC)”和“农业管理系统的化学物质、径流和侵蚀性模块”都是用来预测化学物质传输的耦合二维(2D)田间层次模拟模型。在美国自然资源保护署的网站[9]上，有关于上述以及其他一些模型实用性的讨论。

流域尺度水质模型

流域尺度水质模型模拟流域系统内水、土壤和化学物质的运动。现在已经有多种水质模拟系统，可以用来模拟城市和乡村流域的水质。GMS(Owen等，1996年)集成了多个模拟污染物在地下水中运移的模型(MT3D、RT3D和FEMWATER)。美国环境保护局(EPA)开发的“水质分析模拟程序(WASP)”是一个运行在DOS环境的模拟软件，它集成了许多个模型，可以模拟水文动力学、河流一维不稳定流、湖泊和河口三维不稳定流、常规污染物(包括溶解氧、生物耗氧量、营养物质以及海藻污染)和有毒污染物(包括有机化学

[3] WMS—http://ripple.wes.army.mil/software
[4] HEC-HMS—http://www.hec.usace.army.mil
[5] GMS—http://www.hec.usace.army.mil/
[6] MODFLOW—http://www.water.usgs.gov/software/modflow-88.html
[7] MODPATH—http://www.water,usgs.gov/software/modpath.html
[8] RZWQM—http://www.gpsr.colostate.edu/GPSR/products/rzwqm.htm
[9] 互联网地址—http://www.wcc.nrcs.usda.gov/water/quality/common/h2oqual.html/

物质、金属和沉积物)。EPA开发的另外一个名为“暴雨降水管理模型(SWMM)”[10]同样也是一个具有很长发展历史、基于DOS环境的模拟软件。它是一个单事件连续性流域水质模拟模型,主要用于城区流域,但是也可用于其他类型流域。目前,它已经发展了几个现代Windows界面。

“土壤和水评价工具(SWAT)”[11]是一个不受版权限制的模拟软件,而且美国农业研究局的草地—土壤—水研究室(Temple,TX)仍在不断地对其进行改进。SWAT采用现代的Windows界面,是一个模型和GIS的综合型系统,它模拟了水和化学物质从地表到地下含水层再到河网的运动过程,可以用于几千平方英里的流域盆地的水质水量模拟。

“水文模拟程序—FORTRAN(HSPF)”[12]是一套综合的建模系统,它通过模拟与流入河流的化学物质之间存在相关的地面/土壤径流过程以及水力学过程,模拟了污染物(包括常规污染物和有毒污染物)的运移。这个模型的输出包括流速、化学物质浓度和沉积物携带量。

本小节列出的所有模型都非常需要一个受过水文学培训并能在DOS环境中熟练制作输入文件的操作员。尽管模型中的方程都由计算机软件计算,但是针对某一地点的模型参数化和数据收集仍然是相当艰巨的工作。这使得所有的模型对流域规划小组没有一点实用价值,除非有具备水质模型方面专业技能的水文工程师参与。为了使更多的人有机会使用水质建模环境,美国环境保护局付出了艰苦的劳动,他们开发出了一名为“更佳的综合性点源和非点源污染评价科学(BASINS)”[13]的系统。这个系统直接建立在商业地理信息系统ArcView之上,并采用了ArcView的界面和程序设计语言。通过互联网或者CD-ROM,用户不但可以获得这个模型的程序,而且还能得到模型运行所需的GIS数据。事实上,应用这个系统模拟美国的任何一个流域所需的格式化数据都已提供下载。为了反映当地政策和建筑设施的变化,模型开发人员还为用户提供了更新数据需要的工具及指令。BASINS提供了一个非点源模型(NPSM),并以用户界面形式被集成在HSPF(见前述)中。BASINS采用QUAL2E模拟稳态水体的水质及富营养化,应用TOXIROUTE模拟简单污染物稀释/分解,并以此对污染物加以甄别。基于ArcView的界面使得每一个熟悉这个软件的人,都可以像水文学家一样使用BASINS。

4.2 地理信息系统的角色

非点源污染模拟已经涉及了大量模拟软件包和地理信息系统的连接。例如:ANSWERS(非点源流域环境响应模型)现在已经和GIS连接在一起(Rewerts和Engel,1991年;Krummel等,1993年);Hay等(1993年)实现了图形用户界面(GUI)、统计分析软件包和GIS的集成;Srinivasan(1992年)组合了GIS和SWAT[14]模拟软件。美国农业研

[10] SWMM—http://www.epa.gov/SWMM_WINDOWS
[11] SWAT—http://www.brc.tamus.edu/swat
[12] HSPF—ftp://ftp.epa.gov/epa_ceam/wwwhtml/hspf.htm
[13] BASINS—http://www.epa.gov/OST/BASINS/
[14] SWAT GRASS—http://www.baylor.edu/Bruce_Byars/swatgrassman.html

究局开发的几个不同类型的水质(WQ)模型都已被集成在GRASS(地理资源分析支持系统的GIS中(Croshey等,1993年)。DePinto等(1993年)把基于地理的WAMS模型(流域分析和建模系统)和ARC/INFO地理信息系统连接在一起,用来模拟流域承载力、地下水污染物传输以及河流溶解氧含量。

水量模拟软件大多数是针对某一项目的目标而设计开发的。例如,D'Agnese等(1993年)为了在加拿大死亡谷(Death Valley)附近的一个地区进行一系列地下水模拟,建立了一个由几个软件包混合而成的复杂系统。为了给美国陆军工程兵团Omaha管区开发一个洪水影响预测原型,Frederickson等(1994年)集成了GIS、HEC-1和HEC-2,并为新模型设计了一个图形用户界面。

本节列举的所有模型都涉及到从GIS数据库中读取信息,有的还将数据存储到GIS数据库中。GIS软件本身并不是用来进行水文模拟的。与仅把GIS作为数据源不同,一些水文模拟的新方法用它们自己的网格数据格式处理栅格GIS数据。例如,地理信息系统GRASS中,一个名为"r.fea"的流域漫流模拟通用有限元方法已经设计出来,并开发成功(Gaur和Vieux,1992年;Vieux和Westervelt,1992年;Vieux等,1993年)。又如Saghafian(1993年)以及其他一些专业人员开发了一个集成在GRASS中的有限差分方法(GASC2D/GRASS)。

越来越多的流域及田间尺度的水文模型和GIS紧密集成在一起。仅是与无版权限制地理信息系统GRASS集成的模型就包括AGNPS、ANSWERS、GASC2D、GLEAMS、SWAT、RZWQM、WEPP、MODFLOW、SIMWE以及一些本节没有提到的模型。还有一些模型被集成到ESRI公司[15]的商业地理信息系统ArcView中,包括WEPP、HSPE和面向与流域管理的BASINS。以上提到的模型仅是模拟流域中水、有关沉积物和土壤运动的众多模型中的一小部分。此外,水文学家还开发了许多高效的方法模拟陆面漫流、河网汇流以及地下水流。不过,这些方法主要应用于认识流域水文过程,而不便于流域管理人员直接使用。

本部分从各个学科(及子学科)的角度介绍了流域模拟建模,本书的下一部分将从流域管理人员需求的角度介绍模拟建模。理想的系统需要和全面的多学科多尺度模拟模型相连接,这些模型不仅要描述水文学和生态学(在本章中有所介绍),还要描述有关的经济及社会系统。流域管理人员希望模拟模型能够像比例尺为1:1的地图一样,真实地描述流域。尽管在未来的几十年内,交叉学科模拟建模将会获得极大发展,在流域管理中,选择合适的现有模型仍然十分重要。本书的第Ⅱ部分将会指导流域管理人员做出正确的选择。

---

[15] ESRI—http://www.esri.com/

第Ⅱ部分　选择模型和建模环境

在第Ⅱ部分，我们应用动态模拟建模方法，从实用的角度探讨能够处理不同土地和流域管理所关心的问题。这些方法的范围包括从应用已经开发的、并有很好支持的软件，到局地的、专门的模拟模型的开发。问题分为两类：与单学科模拟模型有关的问题(第5章)和与多学科的科学模型有关的问题(第6章)。这一基本的分类推动我们从基础的科学模型，通过跨学科的科学模型，走向面向管理的决策支持系统(DDSs)。本部分综合阐述了好的、一般目的的多学科决策支持系统的能力范围及其不足。在第7章和第8章，我们考虑了局部的显式模拟建模的设计和开发途径——当包含环境问题时通常需要的一个步骤，接着在第9章，通过收集决策者评估的协调分析，考虑了在对所作选择的评估中软件的支持。最后，提出了决策过程，以帮助管理者选择软件模型和建模环境(第10章)。

第5章　单学科模拟模型处理的问题

在以前的章节中，介绍了水文学和生态学的传统，并结合了超出这些传统开发的模拟模型的范例。这一章更多地从管理为中心的角度探讨处理来自管理决策的实例和问题的模型。每一段先介绍少量有代表性的问题和决策，然后确定在处理这些管理需要中模拟建模怎样才能有效。本章鼓励读者将目前所关心的问题延伸，然后用本书中提供的模型来试着求解。

5.1　用地表水侵蚀和污染模型处理的问题

管理问题/关注实例：

- 在强暴雨中，我们的土地管理模式和实践与溪流的水文过程线是什么关系？
- 作为我们土地管理实践和模式的结果，下游的水质应该是什么样子？
- 如果我们重新分区，采用特别的土地管理实践，这对地表水、地下水和下游的水质会有什么影响？
- 我们怎样在土地上种草，才能最大限度地减少下游的沉积？

由于关注上述的这些问题，当地的流域管理团体才能得以存在。位于溪流和河流边的个人和事务机构关心的是上游土地管理结果变化带来洪水的可能性。用这些溪流的水作为饮用水和消遣的人则关心能使水质恶化的上游的化学物质和养分的沉积。这里提出的问题很容易用现有的水模拟模型来处理。下面介绍一些这种类型的模型，但可能会有更多的这样的模型正在产生，不可能一一列举。

农业实践造成的侵蚀是大量基于计算机软件的建模和模拟产品得以开发的原因。它们寻求根据现行的或预期的土地利用(种植)实际预测侵蚀。已开发出一些软件产品,在农田的层次上评估所选择的土地管理实践。水蚀预报项目(WEPP)❶ 在 DOS 和 Windows95、Windows98 和 NT 环境下运行,其空间显式的输入要求包括地形、作物管理、暴雨特征和土壤。WEPP 在农田层次上预报与片流、细流和河道过程有关的侵蚀和沉积。水侵蚀模拟(SIMWE)❷ 使用类似的输入计算稳定降雨期间的水流、侵蚀和沉积速率的空间分布,它在若干计算机硬件和操作系统环境下运行,对优化土地利用模式,以使侵蚀和沉积问题减至最小很有用处。来自农业管理系统的化学物质、径流和侵蚀模型(CREAMS)(Kinsel)也是一个农田层次的系统,但不是空间显式的。农业流域非点源污染的预报是农业非点源(AGNPS)❸ 污染模型(Young 等,1989 年)的核心。这是一个空间显式的模拟模型,需要大量输入,包括地形导出的参数、土壤特性、土地覆盖、流域水道和蓄水、施肥信息、化学因素和暴雨特征、AGNPS 输出侵蚀和沉积的流域信息、化学浓度随时间的变化、沉积物负载和物质浓度。流域管理人员可将选择的管理方案与输出的信息进行对比。

美国环境保护局(EPA)最早的评估排水污染的主打软件是 BASINS❹,即“更佳的综合性点源和非点源污染评价科学”。BASINS 将商用 GIS(ESRI 的 ArcView)与国家环境数据库、流域评估扩展和给 ArcView 的评定报告及水质和非点源模拟模型相结合。驱动 BASINS 的数据可从 BASINS 的主网站下载。数据包括政治边界、流域边界、数字高程图、土壤、土壤覆盖、生态区、水质和水文测验量、野生动植物、矿物和其他。BASINS 可从互联网上免费下载,也能用 CD-ROM 安装。

5.2 河流管理

管理问题/关注实例:

- 我们的河是财富、灵感和消遣之源。有计划建立税收制度以保护这些财产,拦河筑坝控制流向下游的洪水,提供灌溉和在泛滥平原建立新的建筑。在这些情况下洪水改变引起灾害的风险将会如何?

这一实例所关注的内容与前一段中的叙述有关,但更集中于溪流和河流的行为对直接管理这些溪流或河流所作的努力的响应。在美国,这一层次上适用航运的水体的管理由美国陆军工程兵团负责,并已有悠久的软件开发历史。新的软件性能提供的用户界面比早期的性能适用于更多的用户,但其数学基础仍是可靠的和一致的。这些模型的历史之长,已足以确定它们在某种程度上的法定权威性。

目前,对溪流和河流中水的运动已有很好的了解,已经能开发出简明的模型用于预报水流深度、速度和洪水范围。由美国陆军工程兵团的水文工程中心(HEC)开发的若干模

---

❶ WEPP—http://topsil.nserl.purdue.edu/weppmain/wepp.html
❷ SIMWE—http://owww.cecer.army.mil/td/conservation/find/factsheet.cfm? id=323
❸ AGNPS—http://www.cee.odu.edu/cee/model/agnps-desc.html
❹ BASINS—http://www.epa.gov/OST/BASINS/

型在过去几十年内已经用于协助河流管理。水文工程中心已将他们的若干传统能力结合在一起形成了支持图形用户界面(GUI)的水文模型系统(HEC－HMS)[5]。这一系统在Windows95、Windows98和NT环境以及基于X－Windows的UNIX系统中运行。这是一个完全集成的坡面漫流和溪流演算系统,能接收通过多普勒雷达确定的实时暴雨事件。土地管理人员提供的模型输入包括土壤特征、数字高程、土地利用模式和其他盆地资料;输出包括暴雨径流速度、深度和体积。基本的模拟单元是一个模型人员定义的流域,以及一个代表了研究区溪流和河流过程及横断面特征的水文演算模型。水文工程中心也提供了一个河流分析系统(HEC－RAS),它支持稳定流表面剖面的计算,该剖面考虑了各种结构如桥、涵洞、堰和建筑物等的影响。它有一个GUI支持模型设计和开发,模型执行以及输出的图表的显式。计划未来的版本将支持不稳定流的沉积物输运。第三个主要的HEC程序是洪水灾害分析(HEC－FDA),它设置了一个减少洪水影响的计划过程,并提供了一个水工程的经济分析集成的平台,以供河流管理人员和工程师使用。所有这三个程序均支持文件管理和实例应用,并可通过互联网免费使用,但没有美国陆军工程兵团的支持服务。

水路试验站——一个美国陆军工程兵团研究和开发机构所属的海岸和水力实验室也开发了一套流域和水管理程序。这些程序是地下水模拟系统(GMS)、地表水模型系统(SMS)和流域模拟系统(WMS)[6]。这三个系统看上去似乎很类似,但每一个都聚焦于水系统的不同部分。所有的三个系统均可使用多种图形界面驱动工具迅速构建模型,该驱动工具可容纳由各种常用的GIS软件包输入的GIS数据层。GMS提供了一个建立地下模型和确定地下水流边界条件的工具集,从而使用户能使用多种多样的地下水模拟模型中的任何一种。强大的图形工具允许三维(3D)数据空间输入和输出的可视化。GIS数据层、钻孔信息、水流数据和其他当地的数据源均可在模拟水流的基本的地下模型的构建中应用。两维和三维的网眼、网格和散点模块被用于内插已知数据以构成表面和立体。SMS提供了类似的模型构建工具,然后聚焦于多种两维的浅水的开敞水面模型,以代表河口、河流、海湾和湿地的行为。WMS的目标为流域内的坡面流和水的渗入。与其他两个系统类似,WMS允许用户通过GUIs描述流域,接受GIS数据和卫星影像输入,然后模拟暴雨产生的水流。许多不同的数值方法可供采用。支持WMS的模型之一是CASC2D——一个两维的坡面水流模拟模型,该模型将陆面划分为小块的网格,每一网格用高程、土地覆盖、土性质、土饱和度和表面粗糙度来表征,随时间而变化的空间显式的降水事件(如来自多普勒雷达的分析)可被输入模型。使用基本的水文方程(用于渗透的Green和Ampt方法,以及St. Venant方程的扩散波近似),一个基于网格的有限差分方案模拟了水由景观面流入溪流网的流程。支持渠道系统中水流的方程使CASC2D更齐全。这一模型也已结合进其他GIS和景观模拟环境中。

---

[5] HEC－HMS、HEC－RAS和HEC－FDA—http://www.hec.usace.army.mil

[6] GMS、SMS和WMS—http://chl.wes.army.mil/software

5.3　溪流管理

管理问题/关注实例:

●一条溪流穿越我们的城市。在较大暴雨期间,溪流溢出并淹没了一个重要商业区的几个街区。城市有什么样的选择方案可使洪水减至最小?

这一关注与前一段的类似,但是局限在很小和局地的尺度上。如上所述,美国陆军工程兵团负责可航运水体的管理,但当地溪流的管理权仍掌握在地方官员手里。幸运的是,美国陆军工程兵团开发的许多这类模型可以得到,并可应用于这些小的尺度。在这种情况下,我们假设溪流的泛滥主要是由于城市的土地管理造成的。随着城市的发展,透水土地的总量减少,原来长有植物的土地被建筑物(不透水屋顶)、停车场和街道所代替。在这些地方,雨水原来被土壤吸收,随后通过地下水流排入当地溪流。这部分雨水现在迅速、有效地流动,通过地表流进入当地溪流。并且,原来的溪流和小溪常常被变为直线的和加深的沟渠,有效地排泄暴雨水。为了土地管理计划,我们怎样使这些影响定量化? EPA的暴雨水管理模型(SWMM)[7]模拟一个降雨事件中,通过市区排水系统进入溪流和河流的水和污染物的运动。SWMM 能容纳单一的事件和连续降雨。一个 SWMM 的 Windows95、Windows98 和 NT 的版本(PCSWMM)[8]简化了模型的开发、可视化和操作。

EPA的水质分析模拟程序(WASP)[9]结合了如下两个子系统:有毒化学物模型(TOX1)和富营养化模型(EUTRO)。TOX1 预报在水和河床中的化学物质浓度,而EUTRO则预报浮游植物、碳、叶绿素、氨、硝酸盐、氨、正磷酸盐和氧的浓度。该软件的商业版(WASP5)[10]随同用以组装 WASP 输入数据的基于 GIS 的软件环境(WASP Builder[11])一起,可从科罗拉多州立大学获得。

5.4　植被群落演替

管理问题/关注实例:

●我们想(在路边)恢复稳定的本地植被,什么样的物种组合(植被群落)将能持久存在?

●一段土地将不再用于农业,在那里该种植什么才能使本地群落迅速确立?

●履带轮交通工具连续地撕裂防侵蚀的植被,应种植什么植被才能使侵蚀最小,而同时不损失(车队)训练时间?

这些关注实例清楚地集中在当地流域一部分区域的生态问题上。这些问题寻求的解决方式使一部分土地用混合的植被重新复植,用最小的维护和处理方法来稳定土地。一条途径是通过书本了解当地的生态,这常常是可行的。也可咨询当地的育苗场,他们在本

---

[7] SWMM—http://www.epa.gov/ostwater/SWMM_WINDOWS, http://www.chi.on.ca/SWMM.html/

[8] PCSWMM—http://www.chi.on.ca/pcswmm.html/

[9] WASP—ftp://ftp.epa.gov/epa-ceam/wwwhtml/wasp.htm/

[10] WASP Builder—http://www.chi.on.ca/wasp.html/

[11] http://www.colostate.edu/Depts/IDS/builder/builder.htm/

地物种方面是专业化的。然而，新的基于计算机的软件环境现在已经可用于咨询。

VegSpec[12]是一个新的基于万维网的决策支持系统(DDS)，它是为了处理这类管理上关注的问题而设计的，但它并不(至少不是直接地)依赖模拟建模。通过确定土壤类型、简单的景观特征、最近的气象站和管理目标，VegSpec 就能用来推荐适合的植物供考虑，并提供场地准备要求和播种比例及指示。对强度相对较高的景观管理它是最有用的。

一个新兴的、具有代表性的、基于模拟的、为支持预先的土地处理和规划决策而设计的系统，是生态动态模拟(EDYS)系统(Price 等，1997 年；Mclendou 等，1998 年)。EDYS 的目的是根据初始条件预测一个场地上植物群落的预期的演替。利用这一工具，景观/流域管理人员能够较好地评估一个预先的土地管理投资的长期后果。与 VegSpec 类似，EDYS 需要土壤特征、气象和气候信息和初始的种群作为输入，程序的输出是以后几十年植物的密度。EDYS 根据各植物物种相互之间对光、水和养分资源的竞争完成这一预测。过程模型驱动水从大气到地面并通过多层土壤。植被则根据物种及其在不同条件下的生长特征，用不同的根和地上植被生长模式来表达。EDYS 是一个杰出的例子，说明来自水文学、植物生理学、农学和气象学的基础研究工作得到的知识怎样集成而产生一个强大的模拟模型以支持土地管理。

生境管理

管理问题/关注实例：

●我们需要保护一个受到威胁或濒危的当地物种，我们选择的土地管理计划将如何影响这一物种？

●我们有资金向流域的农民购买土地管理权。选定的购买所有权计划中的空间安排如何影响物种多样性？

这些问题关注本地野生植物的管理——特别是那些根据法律必须保护的物种。典型的水文学上的关注是模拟在几小时和几天过程中暴雨和河流的行为，而植被生长模式所关注的是几年过程中本地种群的建立。处理这种受威胁或濒危物种的流域管理需要长期的评估，并且，当我们从水文学出发，通过建立植被再进入生境管理时，我们发现完全的、已经可以使用的模型不多。尽管如此，有些出发点还是可利用的。

动物和植物生长和再生产的成功取决于环境背景。这一背景的物理尺寸则取决于有机体的尺寸和运动。小的植物向水平和垂直方向伸展，它们的根与可用的养分和水分相互作用，与和它一样吸收土壤中资源的植物竞争。类似地，植物也为了阳光与其他植物竞争。植物与其紧靠的环境互动，任何生境分析必须在这一尺度上完成。会移动的动物与景观的众多组分互动。一般讲，动物越大，互动的区域亦越大。每种动物和植物在其特别的互动范围内环境条件的特殊组合下进化继承。物种的自然历史提供了关于生境要求的知识，对许多物种，这些知识已收入生境评价程序(HEP)。HEP 的方法之一是使用软件从数学上评价一套环境测量值，以计算各类物种的生境适宜指数(HSI)，好的例子是由美国地质调查局(USGS)的中部大陆科学中心开发的 HSI 软件程序[13]。这种基于 DOS 的程

---

[12] VegSpec—http://plants.usda.gov/

[13] HSI 软件程序—http://www.mesc.usgs.gov/hsi/hsi.html

序可根据生境描述信息输入提供几十种不同动物的生境适宜指数。空间显式的、基于GIS的HSI模型也已开发出来。加利福尼亚野生动植物生境关系计划[14]根据ESRI[15]的ARC/INFO的ArcMacro语言(AML)开发出了一套共28个这样的模型。在有些情况下,当地专门的DSSs已经将HSI模型引入了决策支持过程。例子之一是北达科他州中部的Lonetree野生动植物管理机构开发的用于支持管理的DSS。这一系统称为集成的流域环境管理(IREM)[16]。五个对策物种的HSI模型能帮助管理者评估所选定的管理计划对其种群的影响。

5.5 城市增长

管理问题/关注实例:

- 以后几十年,我们城镇周围的什么地方将出现增长?
- 土地管理政策和分区法将如何影响增长?
- 开发权的转移将怎样影响增长?

计划和管理是聚焦未来的活动,这种聚焦常常包括了建设人类居住区的土地和流域的开发。出行费用的考虑,促使商业、服务和居住区的位置相对接近。已经建立的城镇区域趋向于增长,而不是产生新的城镇区,然而,详细的城市增长模式是现在的城市模式和自然地形空间配置的函数。根据选择的管理方案预报增长模式,对于城市和流域管理者在管理方案中进行选择是必要的。

城市规划者和土木工程师已经开发了位置配置模型(Ghosh和Rushtou,1987年)和交通模拟模型(Oppenheim和Oppenheim,1995年;Ran和Boyce,1996年),以帮助了解和预报土地利用和交通模式。位置配置模型关注个人和商业直接决定位置的决策过程,这种决定极大地取决于在各种位置组合之间依靠体力旅行所需要的时间,而这又是道路基础设施地理布局和交通负荷的函数。交通模拟模型则根据各种地理位置间的旅行需要估计路网上的负荷。

我们的重点在一个地区、一个大的流域或者一个县的尺度。我们想聚焦于几十年过程中城市面积的增长,而不是分析一天的交通流量。城市增长被许多因素所驱动,它们是:

- 地方经济的实力;
- 运输费用;
- 可用的基础设施;
- 地形;
- 地区的吸引力;
- 法律和规章。

---

[14] GIS的HSI模型,加利福尼亚野生动植物生境关系计划—http://www.dfg.ca.gov/wmd/cwhr/gismodel.html

[15] ESRI—http://www.esri.com

[16] IREM—http://www.colostate.edu/Depts/IDS/irem.html

我们的生活质量高低取决于我们挣钱的能力。地方经济的实力关系到工作数量的维持。经济实力强，则纯移民将进一步促进城市的增长。低的运输成本（包括时间和金钱）促进增长和扩展。还有，正如每一个开发者和市理事会成员所了解的，水、电力、下水道和通讯线的存在对开发有极大的吸引力。在平地上建筑费用最低，陡坡将扩展限制在一个有限的范围内。如果土地不适于支撑大的建筑，则也同样限制扩展。因为是人造成了增长压力，所以一个地区对人的吸引力是开发的关键因素。在20世纪中期，尽管南加利福尼亚与其他城市中心距离很远，但因为其天气状况和地理位置接近海洋，仍很吸引人。最后，法律和规章既限制又促进增长。城市和乡村的分区则用于指导向预定方向的增长。公园、森林、野生动物避难所和其他类型的土地利用是确定未来开发模式选择的有力杠杆。

最近的一个城市增长模型的例子是Clarke城市增长模型[17]（Kirtland等，1994年）。该模型被用于预测旧金山湾地区和巴尔的摩/华盛顿特区大城市区的城市增长模式，模型支持如下的增长组分。

周边地区同时增长

这是紧靠城市地区因为靠近城市而形成的增长。这种增长也受到建筑能力的调节，而建筑能力又是山坡的函数。

扩散增长和新增长中心的扩展

这种增长产生一个与现有城区不相邻的新的城市区。同样，陡坡地区不太可能自然产生一个新的城市环境。

有机增长

这是一种差不多已被城市环境包围地区的增长。在这种模型中，被至少三个城市化的相邻地区包围的单元是候选。同样，山坡是调控因素。

道路影响的增长

道路将城市增长压力从城市化地区向与城市地区并不直接接触的地区“传递”。

自修正

模拟“好时期好结果，坏时期坏结果”的影响。越是高增长期，增长系数增加越大；越是低增长期，增长系数增加越小。通过调节，以检查完全失控的增长和完全的人口迅速下降。

Clarke模型提供了一个丰富的环境以探究城市增长的理论和检验土地管理和运输决策对未来住宅模式的潜在影响。

与城市增长关联的还有为满足当前和计划需求而设计的交通流模式及道路和高速公路的建设。与需要几十年时间的城市增长相比，道路和高速公路建设发生在较小的空间尺度和较短的时间段内，但是这些建设项目在决定城市增长模式中是十分重要的。为帮助管理地方交通，城市和地区转向交通模拟建模。这些模型帮助规划者了解所选择的交通管理计划对交通流高峰期引起的交通堵塞的影响。模型的时间步长可以是几秒到几分

---

[17] Clarke城市增长模型—http://geo.arc.nasa.gov/usgs/clarke/hilt.html/, http://geo.arc.nasa.gov/umap

钟——大大不同于流域模拟建模的从周到旬的时间步长。

本章提出了一些现实的管理问题和目标,然后验明了已经可用于处理这些关注的现有的模拟模型。这些模型中的每一个都趋向于集中在一个特别的学科内。并非所有可能的管理关注都已提出,也并非所有可能解释它们的方法都已介绍。应用一个单一学科的管理决策常和已经开发的模拟模型关联,因而,应该鼓励流域管理者找出能适合于他们的特殊的管理挑战的模拟模型。目前,很少有可用于支持更复杂的管理决策的多学科的模拟模型。

第6章　多学科模拟模型处理的问题

景观管理决策常常与多目标的竞争有关。管理者不能奢望只关注一个单一目标。因此,来自一个特定学术传统的最好的科学不能用于求得最优解。让我们来考虑这样一种情况,那里对洪水的关注必须与生态目的相平衡。水文模型的结果会推荐说,一个小坝会有助于减少下游的洪水,增加灌溉(因而是经济的),并提供满意的消遣。环境模型可能会指出,不要在溪流上筑坝,溪流的蜿蜒和拆除泛滥平原上的建筑将得到生态和其他经济利益。如果这些模型要在一个单独的模型中更完全地表达整个流域系统,则每个模型所作的推荐很可能是不同的。本章和前一章一样,提出一小批作为实例的问题,意图与流域管理者共鸣。同样,这一小批问题没有穷尽或意图去覆盖全部重要的范围。希望读者仔细考虑模拟建模在他们当前的流域管理挑战中可能起到的作用。

管理问题/关注实例:

- 我们计划连续使用一个景观作军事履带式交通工具训练场地,我们已经开发了可供选择的在时间和空间上改变训练强度的土地管理方案,连同我们的训练要求和目标一起,我们还想通过促进本地植物增长,以及使化学径流达到最小而增加生物多样性并保持一个抗侵蚀的训练场。
- 我们认识到城市增长模式随经济、社会、精神、地形和自然资源模式而发展。我们当地市镇、城市和乡村规划委员会已经开发出了一个从现在起30年的土地利用计划。为保证增长进展与计划一致,我们要做些什么?

这些流域管理方案的实例,抓住了流域管理的多学科、多目标和多个利益相关者的特点。原始的流域系统非常复杂。寻求在众多时间和空间尺度上的气候、土壤、水文、植物和动物之间的相互作用的知识,将需要几代科学家的完全投入。人类文化、经济、社会和技术系统明显使复杂性大为增加。当科学家持续研究流域系统时,对土地和水的管理并未暂停。最好的管理决策要根据最好的、可用的信息和科学,这是因为现在的和计划中的研究,作为未来的知识,将成为修改这些决策的基础。

正如我们所见到的,大量的流域系统状态的知识和这些系统的动态现在已经被收入到动态模拟模型中,并作为地理信息系统(GIS)数据库。出于需要,科学家已经把系统中复杂相互作用的组分,划分为可管理的组分。由于根据经典物理学,对水的运动已有很好的了解,我们现在已经有了极好的多种多样的、强大的水迁移模拟模型。植被和群落演替模型现在刚刚变得可用,并正在改进。预测单个种的生境和种群的模型也已可用,但典型的是在种到种的基础上开发的,因为尚无关于种的小生境需要的一般的生态理论。气候模型现已可用,但流域管理者并不奢求做好几百年的规划。多种天气模型用于产生日预报,但对未来的预报,最多也只对一周内的预报是好的。代表地方经济、城市增长模式、交通模式的需求、犯罪模式和居住区模式的模型也已可用,且作为单个模型都很强大。遗憾的是,由于模型没有集成起来,大大地减少了进行土地管理决策时这些模型的可用性。

目前，一般目的的动态流域模拟模型已可用，它们能同时模拟几个突出的人类和环境过程。模型开发人员常常通过连接两个或更多的模拟模型来实现多学科的模拟建模。例如，将一个水文模拟模型与一个基于生态的群落演替模型连接可能是有用的。这一途径给软件集成带来了挑战，这种挑战典型地是以一种专门的方式进行处理的，反映了这两个模型联合的特殊需要。几个团队已经在处理更一般方式上的模型连接和集成问题。在下一节将对两种解决途径进行概要的评述，并接着评述一个结合人类和自然过程的专门位置模型的实例。

6.1 模型集成环境实例

许多现有的途径提供了集成完全不同的模拟模型的框架。其中，一条途径是重塑现有的模拟模型作为软件子程序库中的模拟模块或程序对象，将要评述的第一个系统——模块建模系统是这一途径的一个例子。第二条途径是重塑现有的模拟模型作为独立运行的程序，这些程序在运行时与作为模拟模型联盟的其他运行程序相互作用。我们将回顾动态信息架构系统作为这一途径的例子。最后，对许多人都很有吸引力的一条途径是产生一个环境，在这一环境中用预先设计的集成，可开发新的建模组件，我们将介绍空间建模环境作为这一途径的一个例子。

把模拟模型转换成模块

模块建模系统(MMS)❶是一个强大的现代流域模拟环境，该环境连接了大量代表土地、水和天气过程的不同方面的多学科模型(Leavesley 等，1995 年；Leavesley，1996 年)。MMS 的开发是由美国地质调查局(USGS)的 George Leavesley 博士协调和领导的。MMS 的产生是为了促进流域模型的迅速发展。流域可以包含任意数量的不同组分，如地表水流、植被的蒸腾、地下水、土壤饱和度、天气/气候、溪流、坝/水库、日照等。MMS 提供了一个软件子程序的库，通过产生一套流域模型构件块模拟这些不同的组分。一个图形用户界面(GUI)允许用户以图形形式安排流域组分间的逻辑联系，以建立一个完全的流域模型。一旦安排妥当，与构件块关联的软件被编译(通过 GUI)产生一个包括了上述所有过程的单一的程序。这一产生的程序是一个模拟模型，它使用一个公共的模拟时钟运行各种互相连接的过程。运行 GUIs 可做到可视化，并搜集系统状态的信息。

MMS 开始于美国地质调查局与科罗拉多大学的水和环境系统先进支撑中心(CADSWES)的合作研究。MMS 成形后，许多国家和国际的机构和组织表示了对 MMS 概念的兴趣，其结果是，MMS 现在包含了由大量组织合作开发的模型组分。

集成独立运行的模拟过程

动态信息架构系统(DIAS)❷是一个由 Argonne 国家图书馆决策和信息科学部开发并为之服务的强大的软件环境。这一环境的开发是为了推动解决完全不同的多学科模拟模型的连接。DIAS 允许软件工程师在运行时与继承的模拟模型的修改版本进行通信的

❶ MMS—http://www.terra.colostate.edu/projects/mms.html/(现为 wwwbrr.cr.usgs.gov/mms/，校者注)
❷ DIAS—http://www.dis.anl.gov/DIAS

情况下写模拟模型。通信是双向的，这意味着通过 DIAS，不同的运行模型能彼此之间交换流域状态信息。DIAS 早期的开发由防御模型和模拟办公室(DMSO)资助，用于支持动态环境影响模型(DEEM)❸。DIAS 具有巨大的支持能力以接受各种 GISs 和 DBMSs(数据库管理系统)格式的数据，它具有内置的面向对象的 GIS 和许多内部的模拟模型。DIAS 提供了软件"胶水"，以便将流域模型中有用的、任何数量的专门学科的环境的、经济的和社会的模型结合在一起。

在图 6-1 中，一个大的和两个小的矩形代表了独立运行的进程。大的矩形代表核心 DIAS 程序。在这一程序中，"事件管理者"与模型的所有对象(用大椭圆中的词"对象"代表)通信。这些对象与 DIAS 兼容，由建模者从一个"框架工具包"对象库中选择，对象包含了代表正在模拟的一个过程的一个方面所需要的所有软件代码。另一方面，它们可以通过向"过程对象"传递请求来实现它们的模拟建模要求。"过程对象"能调用正在同步平行运行的计算机程序(小的"外部程序"矩形)。这些程序是典型的科学模型，原先是作为独立模拟模型开发的。把与这些模型有关的模拟软件与一层支持进程间通信的软件一起装入"过程对象"，原先的独立模型就能参与进多学科的模拟模型。为提高效率，大多数添加进日益增加的 DIAS 程序库的程序均直接作为内部的 DIAS 模拟对象进行编写。DIAS 软件代表了集成多学科模拟建模的一个强大的、精巧的途径。这对在流域管理决策过程中充分地使用科学模型是必需的。

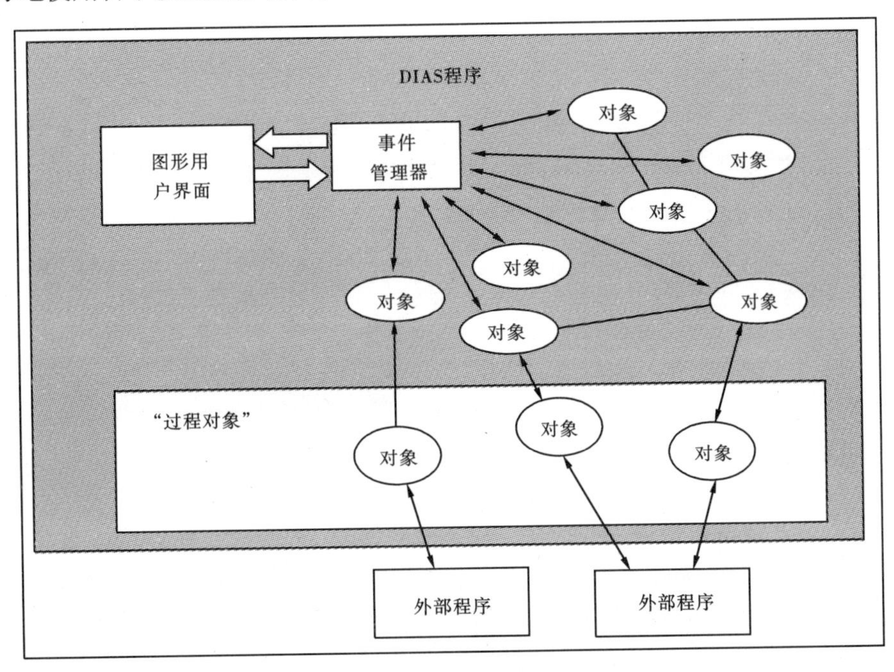

图 6-1　DIAS 环境的概念示意图

❸ DEEM—http://www.dis.anl.gov/DEEM/

用于创立新模拟模型模块的框架

从软件工程的途径考虑，要实现完全不同的模拟模型之间的交互的最好的方法是在一个预先确定的框架内建立模拟模型。这一途径的一个杰出的例子是空间建模环境(SME)❹，它将在第7章里被详细讨论。图6-2概述了模型的开发过程。在这一过程中没有传统意义上的写计算机程序这种步骤。在步骤1中，模块化子模型的开发使用了称为Stella❺的动态模拟建模软件环境(Stella建模环境是商业产品的一个例子。该产品通过开发描述一个系统怎样在时间步长间变化的代数和逻辑方程，使对模拟模型的说明变得容易)。步骤2为利用SME使Stella产生的方程向C++计算机语言自动转换。由此产生的软件安排Stella开发的模型在每一个景观斑块中同时运行。为初始化这些斑块中系统的状态，还要根据需要进行GIS数据库的开发的分析(步骤4)。在运行时(步骤5)这些数据层被读入存储器，而Stella方程被重复应用(对每一个时间步长)，产生景观状态随时间的变化，并能被收集作为图形输出和形成表格。

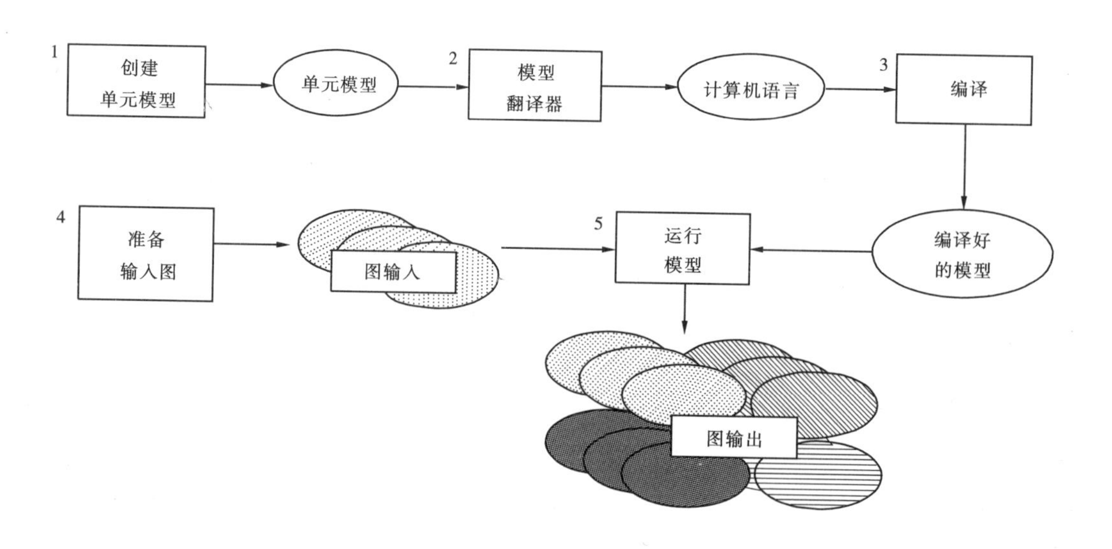

图6-2　Stella/SME模型开发过程

步骤2产生模拟模型模块，并能添加到一个局部的模拟模块库。SME开发者的一个目的是促进局部程序库中能够很容易地与其他SME用户分享的模块的开发。当软件已经设计好，而要开发其新的能力时，共享是很实际的，但在这一环境中改写大的现有模型则是不实际的。

---

❹ SME—http://kabir.cbl.umces.edu/SME3/

❺ 高性能系统公司—http://www.hps-inc.com/

6.2 多学科模型实例

一个湿地环境模型

南佛罗里达重要股东团体之间竞争导致了许多流域模拟模型的开发。独特的湿地环境已经发育了几十万年，并且已适应了从佛罗里达中部通过湿地和大柏树沼泽进入墨西哥海湾的连续水流。为了响应南佛罗里达增长的人口对水的需求，许多自然水流已经被引向了城市和农业。环境利益力争减缓和扭转湿地丧失的趋势，而日益增长的人口继续要求更多的水权。两种利益均支持相当大的模拟模型的开发，希望能较好地开发出可接受的土地管理计划。

建模过程中要考虑两个基本组分：水文和生态。水管理方案用地面流、溪流、渠道和抽水站模型计算，这些模型预测天然系统中的水流和深度。由于水流模型是根据相对简单的和较好了解的物理学，所以这些模型可以较精确并能参数化以代表本地系统。面向水的物理模型的输出为对植物和动物种群长期和积累的影响的分析提供了输入，这一分析是通过多所大学努力开发的称为跨营养水平的模拟系统(ATLSS)[6]的模拟来实现的。天然系统的不同组分是在适度不同的集合水平上进行模拟的。个体活动范围覆盖广大地区的大动物(鹿、豹、鳄鱼、苍鹭和鹳)是在个体的水平上模拟的。小动物的种群是作为种群来模拟的，而最低营养水平则收集在过程模型中。被地域、组织和学科分隔的研究者们，以一种允许模型将来能集成于一个单一系统的方式独立地开发 ATLSS 的不同组件。ATLSS 是一个面向管理的系统，设计为协助分析有效的土地管理方案，并建立在现已了解的科学应用的基础上。南佛罗里达水管理办公室要求 ATLSS 的工作人员将由水文模型输出所确定的水文约束输入 ATLSS。模型产生大量关于所建议的水管理计划对湿地和大柏树沼泽的动物和植物影响的报告。这一尝试为在土地和流域管理决策中应用集成的科学模型的高目标努力提供了基准。

两个军事装备环境模型

军事装备的管理要求自然环境与履带及有轮交通工具的运行在一个给定的流域中应达到平衡。军队要求士兵进行“实战训练”，这意味着士兵在战争情况下必须不能被任何与其生存和战术目标无直接关系的信息和考虑弄混了他们的思考过程。例如，不鼓励士兵为了避免伤害和保护濒危的物种而去学习本地的植物和动物。当他们跨过一条溪流或一条河时，他们必须仅仅关注当前的使命，他们自己和同伴的安全，以及他们的装备。关于对溪流生命、阻止侵蚀的根系统和下游水质影响的想法，对一个战争状态下的士兵不应造成影响，也不是他们备战的内容。然而士兵在其上进行训练的土地的管理是极端重要的，因为现在可用的训练场地必须无限制地持续支持训练。管理只能以战略的方式实现，这种方式包括了在时间和空间上的训练安排。在 20 世纪 90 年代，两个早期的多学科景观模拟模型得到开发，协助军事装备管理比较选定的战术管理计划：一个为堪萨斯州的 Riley，另一个为得克萨斯州的 Hood。

---

[6] ATLSS—http://atlss.org/

集成的动态景观分析和建模系统(IDLAMS)[7]最早的开发是为了帮助堪萨斯州Riley堡的土地管理者和决策者找到支持城堡使命的、对长期土地管理目标有成本效益的途径。IDLAMS提供了计算机技术使土地管理者通过确认多重的土地利用目标,实施协调分析,评价可行的土地管理选择的成本和将“如果……将会怎样”的情景结合进他们的决策,集成他们的计划过程。IDLAMS集成了预测模型、决策支持技术并结合了遥感和野外编录数据的GIS。IDLAMS的用户友好的界面允许资源管理者操作这一预测、决策和计划工具,而不需要很多的GIS或计算机建模经验。IDLAMS可以从商用现货供应(COTS-Commercial-off-the-shelf)的GIS软件启动,科学家是在Argonne国家图书馆(ANL)和美国陆军建筑工程研究实验室(CERL)进行IDLAMS的研究和开发的,并得到了战略研究和防御计划(SERDP)的资助。

IDLAMS的核心是:①交通工具使用强度模型;②预报植被群落状态和演替的植被动态模型;③野生动植物模型;④侵蚀模型;⑤经济模型;⑥方案评价模型。装备土地管理通过确认对城堡有意义的多目标开始评价,这些目标包括最小成本、最小环境影响、最小侵蚀、最小士兵训练旅行时间和最大的训练效率。

包括了各种时空训练强度的可选择的管理方案,然后用IDLAMS针对目标进行评价。一个决策支持模块帮助土地管理者应用管理者确认的目标协调信息对选择方案评定次序。

IDLAMS曾适配于Riley堡高秆草草原的一个十分不同的生态系统。当时它曾被修改用于威斯康星中部长森林的McCoy堡生态系统。因为从一地到另一地的生态系统是如此不同,所以用于流域管理的环境模型必须反映在不同位置的一系列不同的关注和过程。IDLAMS对这一事实作出响应,建立了一个景观模拟建模的一般框架,但允许迅速地去除、代替和升级其决策支持系统的组分。这意味着必须有科学家和软件工程师修改IDLAMS以适合其他位置。

第二个为军事装备土地和流域开发的空间和时间显式模型是Hood鸟类模拟模型(FHASM)[8](Trame等,1977年)。FHASM是在SME框架内开发的,它聚焦于选择的土地管理实践对在联邦政府一级上指定的两种濒危鸟类种群的影响。与IDLAMS一样,景观用栅格GIS数据层代表——产生一个正方形景观斑块的矩阵,景观动态划分为四个主要的子模型:鸟类生态、植物群落、管理决策和影响。

FHASM和其他用SME开发的模型的价值在于,虽然每一景观在其管理挑战、重要过程和生境确定中均很独特,但像SME这样的软件允许资源管理者把他们的精力集中于收集系统中重要的知识等方面。反过来,SME提供了一个计算环境,消除了为用户界面低水平软件编程、数据输入和输出、动态模拟和分布执行等负担。

本章通过考虑两个模型开发环境(MMS和DIAS)和三个多学科的模拟模型

---

[7] IDLAMS—http://www.es.anl.gov/htmls/idlams.html
[8] FHASM—http://blizzard.gis.uiuc.edu/htmldocs/Hood Model

(ATLSS、IDLAMS 和 FHASM),阐述了多学科模拟建模现有的途径。虽然这些例子证明,多学科模型能够并正在被开发用于处理管理关注,但它们也受到挑战,需要进一步发展,且操作是很困难的。至今,这些类型的模型已被证明只有在很好积累的情况下才是有用的。多学科模型现在以一种专门的方式被组装以满足客户实际的需要。

第 7 章　建立新的模型

考虑某些流域模拟建模的目的,模拟模型必须新建,而不仅仅是修改和(或)参数化,特别对生态模拟建模而言往往是这样。模拟模型开发环境被用于开发当地的显式模型,而不是接受一个对当地流域已参数化了的模拟模型。图 7-1 对建模环境和模型进行了比较。如在第 5 章中所讨论的,软件模型向用户提供了一系列流域过程的数学定型。与模型联系在一起的是数据的输入输出、数据存储和检索及模型的执行界面。各种类型的数据输出和数据可视化能力常用于内部和(或)外部的输出分析。通过输出的可视化和分析,决策者就能较好地了解选择的流域管理决策的可能后果。建模环境的存在有助于有效地开发和使用模型。典型地,它们提供了用户界面、数据存储和检索、子模型程序库和模拟建模单元,用户向这些单元添加实际的模型方程和系统初始状态的信息。在本章中,我们要明晰地考虑为上述每一个目的进行软件选择。

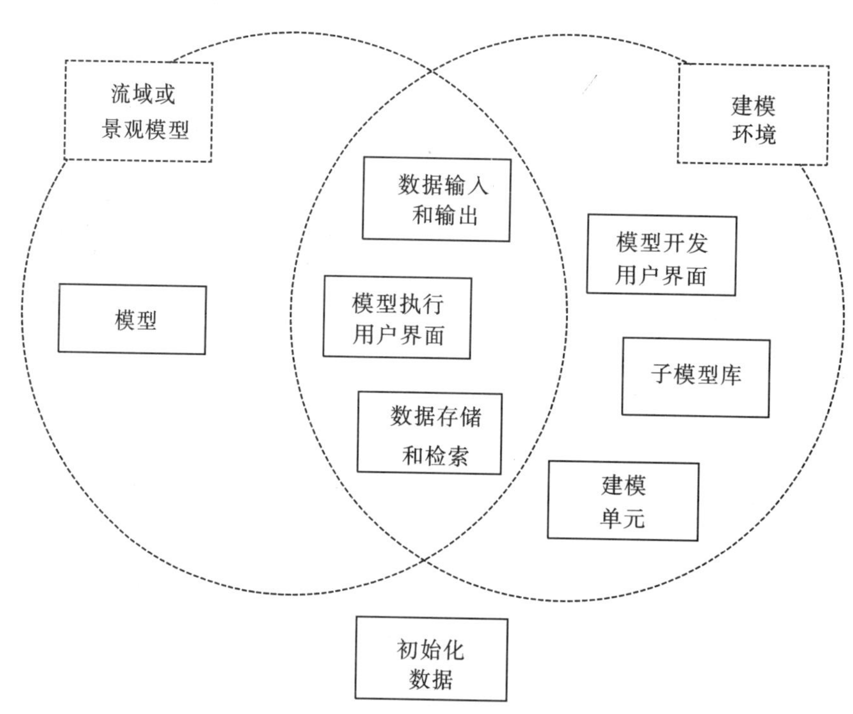

图 7-1　计算机模型和建模环境的区别

7.1　基于地理信息系统的途径

基于计算机的地理信息系统(GISs)首次引入是在 20 世纪 60 年代,至 70 年代后半期已有了好的商用GIS软件。哈佛的计算机图形和空间分析实验室在Howard Fisher的指导下,提出了包括SYMAP(60年代中期)和ODYSSEY(70年代中期)的一系列GIS软件产品。此后,众多的商业企业和政府机构提供了多种GIS产品。今天这些工作中的一部分仍在GIS工业中起作用。环境系统研究所(ESRI)❶引领商用GIS工业近30年,它的开始植根于早期哈佛工作的经验。在美国政府资助的工作中,最值得注意的是地理资源分析支持系统(GRASS)❷,现在位于Baylor大学。GRASS的努力也产生了许多商用的软件,包括商用的GRASSLAND❸产品。

现代的GIS软件为流域管理者提供了使景观系统状态形式化的能力。它允许我们收集关于事件位置的现在和历史的信息。资料源包括历史图件和照片、卫星和高空影像、全球定位系统(GPS)测量及土地和水的所有方面的科学分析。强大的可视化和数据处理工具允许导出二级图件(如从数字高程图导出山坡、高程和流域边界图)。强大的空间统计和数学分析使我们能充分地研究我们对流域中是什么和已经有什么的形式化。

现代的GIS并没有为我们提供好的机遇以服务于我们关于流域怎样工作的理论。GIS在开发人类和自然过程的动态模拟中已经主要地被用于空间数据的输入和输出以初始化外部模拟模型,并从这些模型中接受输出以用于可视化分析。

然而,现代的GIS环境可以独立地开发动态流域模拟,如,大多数现代的GISs提供了一些式样的地图计算器。使用这种地图计算器可根据一个或几个输入图的分析产生新的图。如可利用地图计算器产生一个水文上的地面水流模拟。在每一个格网单元上的水深是前一个时间步长水流深度和从这一时间步长开始的新的降水的总和。利用地图计算器,有限差分方程能变换以适应水深和水流信息,该方程很容易重复地用于每一个单元,以产生水流和水深的时间序列。类似地,动物种群、植物种子和环境污染的运动也能用GIS地图计算器捕捉。但是有两个不足之处,第一点,也是最重要的,地图计算器设计为一次只能运行一个步长,对于包含了许多步长的模拟,必须重复加载地图计算器程序、当前的地图数据、下一时间步长状态的计算和这一状态的输出。这样的效率是很低的,需要消耗比实际必需多很多倍的计算机功率。其次,GIS并不为开发存储、混合和执行这些模型提供有效的环境。在GIS环境下进行模拟的优点在于模拟操作中可使用强大的空间分析能力。

7.2 引导型的动态建模软件

许多流域管理者和学生,对个人使用计算机开发模拟模型以比较选择的土地管理方案感到胆怯。我们中的大部分人已经使用计算机做文字处理、发送电子邮件,可能还有电子数据表和统计分析。但是流域动态的概念和理解的形式化必须不仅仅为训练有素的计算机科学家所专有。虽然事实上计算机科学家已经帮助开发了许多在本书中评述的软件模型,且软件工程师将密切地介入未来的模拟建模,但重要的是与程序设计员(或他们的

---

❶ ESRI—http://www.esri.com
❷ GRASS—http://www.baylor.edu/grass
❸ GRASSLAND—http://www.globalgeo.com

产品)一起工作的管理人员应对要模拟过程的软件中获取系统动态的途径有一个实际的了解。对目前工作有帮助的是,已有许多不同类型的模拟环境可用于研究怎样得到对系统过程的了解和正式地在一个模型中作为系统动态获取它们。我们将考虑软件模拟的选择,它们不是空间显式的,但考虑了流域组分的地理布局。

由高性能系统公司[4]和 Powersim[5]提供的强大的、灵活的、易学的模拟模型开发环境——Stella不是空间显式的,每一个都提供了一个图形用户界面(GUI),以便迅速地收集系统组分间的关系。图 7-2 是 Stella 模型的例子,显示了构建动态模拟模型的关键组分。矩形图符代表了一个系统状态值,此处代表种群。模型中状态变量的集合定义了任何给定时刻的系统。对 Stella 模型,选择一个固定的时间步长以实施模拟计算。与双线相连的圆控制了种群增加。可以把矩形比喻为水库,水平双线比喻管子有水在其中流动,管子上的圆环比作一个阀控制了流速,与管线没有连接的圆仅仅持有公式和变量,弧线表示箭头处的圆是弧线另一端图符的函数。因此,在本例中,"鸟"是"出生率"和"种群"的函数,"出生率"仅仅是"种群"的函数。模型人员必须键入公式,这些公式使用指明的输入。在 Stella 的情况下,双击"鸟"图符揭示一个 GUI,使模型人员能使用两个输入("鸟"和"出生率")以提供适宜的公式。Stella 通过计算所有的公式进行模拟,然后更新状态变量。Stella模拟模型使用以基础水平的代数学和基本逻辑写出的差分方程。该方程不必是连续的。如果没有适宜的方程,或者用数学语言描述太困难,或者公式直接由测量支持,模型人员可以在 Stella 界面上画出图形关系来描述两个变量之间的联系。例如,如果出生率是种群的函数,Stella 的模型人员就可指定使用图形关系,而不是使用一个公式。Stella 提出一个具有因变量和自变量的图,模型人员则追踪两者之间的图形关系,这些模型环境允许用户迅速地将他们对一个系统动态的了解形式化。这种类型的模型开发环境是十分容易理解的,仅需要对将要模拟的系统的知识和对中学代数的基本了解。Hannon 和 Ruth(1994 年、1997 年)已经出版了很有趣味的课本,提供了 Stella 模型开发环境用于生态、环境和经济系统的简单演示。一旦某一个人开发了对某一个系统怎样工作进行了

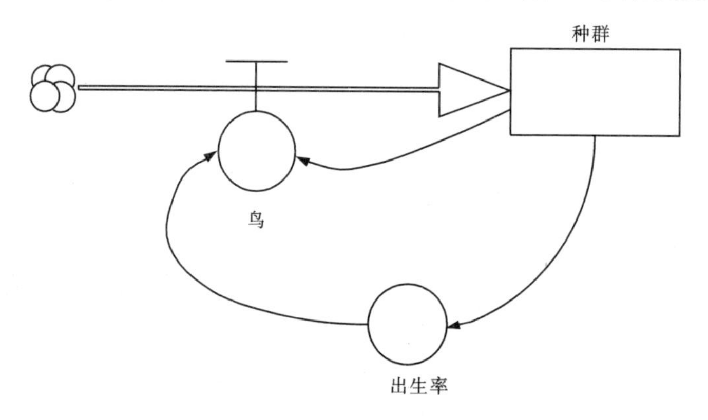

图 7-2 Stella 模型例子

[4] 高性能系统公司—http://www.hpsúina.com/

[5] Powersim—http://www.Powersim.com/

解的软件，计算机就能重复应用模型人员指定的动力学，产生一个关于系统状态的时间系列的表述，以反馈这一了解的后果。

使用 Stella、Powersim 和有关的环境研究流域系统中空间结构的作用是不实际的。地理信息系统能明确地模拟系统的这种状态，但其模拟一个系统随时间变化的行为的能力则很弱。为了研究动态系统的空间蕴涵，许多新的环境在最近已可用。马萨诸塞技术研究所的媒体实验室的 Starlogo[6] 和 EcoBeaker[7] 是研究空间动力学的强大教学工具，这些模拟环境具有友好和灵活的 GUIs，允许模型人员集中于描述动因之间的相互作用，以及这些动因与动因在其上运动的土地覆盖斑块间的相互作用，这些斑块能类似地与相邻的斑块相互作用。两个系统均提供了简单的程序语言供模型人员用于描述感兴趣的相互作用，也提供了简单的按钮和滑动条以产生模型专用的用户界面。每一种系统均提供了模型实例，以允许用户开始研究捕食者—猎物间的相互作用、交通、疾病和流行病、火灾模拟、植被生长、饲料、社会互动和各种类型的竞争。

图7-3显示了一个基于Starlogo的花粉传播模型的实例。这里，一株玉米在用户指

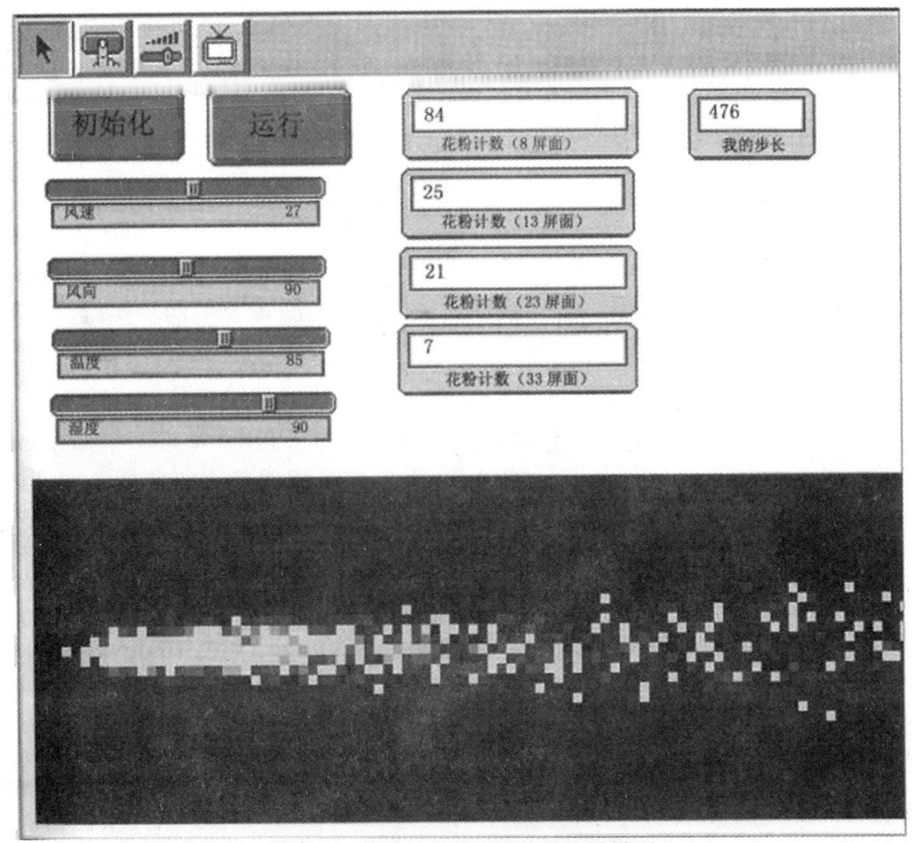

图 7-3　基于 Starlogo 的花粉传播模型

[6] Starlogo—http://Starlogo.www.media.mit.edu/people/Starlogo/
[7] EcoBeaker—http://www.ecobeaker.com/

定的风速、风向、温度和湿度条件下释放花粉。从上往下看图，图的顶部为北，花粉（亮点）向东移动（Wind Dir 滑动条设置为 90°），且是垂直于风向沿上、下轴随机摆动的。如果花粉落下低于一定高度且仍能存活，这一位置就记下了这一事件。在运行模型后，一个花粉沉积模式即浮现，少于 100 行的 Starlogo 代码收集这一动态。Starlogo 自动编译代码并提供一个简单的界面以运行模型，这对于在空间显式的模拟模型中研究简单的想法是很理想的。

像 Starlogo 和 EcoBeaker 这样的软件环境是强大的、灵活的，且是便宜的，他们很适合于研究关于流域过程的一些想法。

7.3 强大的动态建模软件

为了开发大型、综合、密集计算的空间显式模拟模型，像 Starlogo 和 EcoBeaker 这样的程序就显得不足。这些程序不能很好地适应直接应用 GIS 中的数字图件进行工作，或者与其他的空间显式的模拟模型互动。它们的创建是用于处理相对小的模拟模型——没有准备用于多于几百行的软件程序的管理。它们也不能提供可以从多处理器和多计算机获益的对非常大的模拟模型的分布式处理。对更重要的模拟模型，我们必须转向面向软件工程师可扩充的环境。遗憾的是，在市场上尚无更强大的、价格合理的软件，但是，由各类政府实验室开发的、日益增多的代用品已经可用。空间建模环境（SME）[8] 和 SWARM[9] 就是例子。

SME 结合了如 Stella 这样的模拟建模软件，成为强大的模拟执行环境。SME 有利于对每一个与矢量 GIS 数据库连接的格网单元实施类似 Stella 模型的同步执行。模型中的状态变量用 GIS 数据层中的信息初始化。SME 接受图 7-4 中的模型—视图—驱动器总体结构途径。模型人员不必是软件程序设计员，而是仅仅被鼓励去开发将要平行运行的类 Stella 模型——以适应于流域格网中的每一个斑块。SME 用简单的协议编写，这就允许一个单元状态变量不仅是当前单元的函数，而且也是相邻单元的函数。单元模型由 SME 模块构造器软件翻译，该软件将各种模型环境方程文件翻译为公用的模块建模语言（MML），这样就能建立这种翻译的模型的程序库，并维持供将来使用。为产生一个空间显式的模拟模型，模型人员从他们的程序库确认模型组件（子模型），在适宜的地方匹配变量，并用 SME 代码生成器将 MML 代码翻译成 C++。

其他的 SME 选项允许渠道水流过程模型和点模型的集成。SME 产生的模型能读写各种 GIS 数据格式和不同格式的数据表格，并能在模拟运行期间产生各种图形和地图。由于 SME 是用 C++写的，所以可以使软件程序将 SME 代码与其他的模拟模型连接。

当 SME 努力隐藏软件程序语言代码的开发时，SWARM 则给予软件工程师以机会。SWARM 是在新墨西哥州圣菲县的圣菲研究所开发的，目的是支持人工生命的研究，以提供对社会行为发展的透视。与 Stella、EcoBeaker、Starlogo、SME 及其他的建模环境一样，

---

[8] SME—http://kabir.cbl.umces.edu/SME3/

[9] SWARM—http://www.santafe.edu/projects/swarm/

SWARM 为建模人员/开发人员提供了模型支持软件,这些软件关系到模拟时间、GUIs 和各种输出的可视化。也和其他的建模环境一样,它使用的程序语言有助于建模人员获取他们对空间系统动力学的理解。但不同的是,SWARM 并没有为开发人员提供充裕的 GUI 环境以开发模型。SWARM 以对象库的形式提供其能力,据此一个软件工程师作为增设部分访问称为对象 C 的强大的程序语言——一个扩展了通用 C 语言的面向对象的系列。

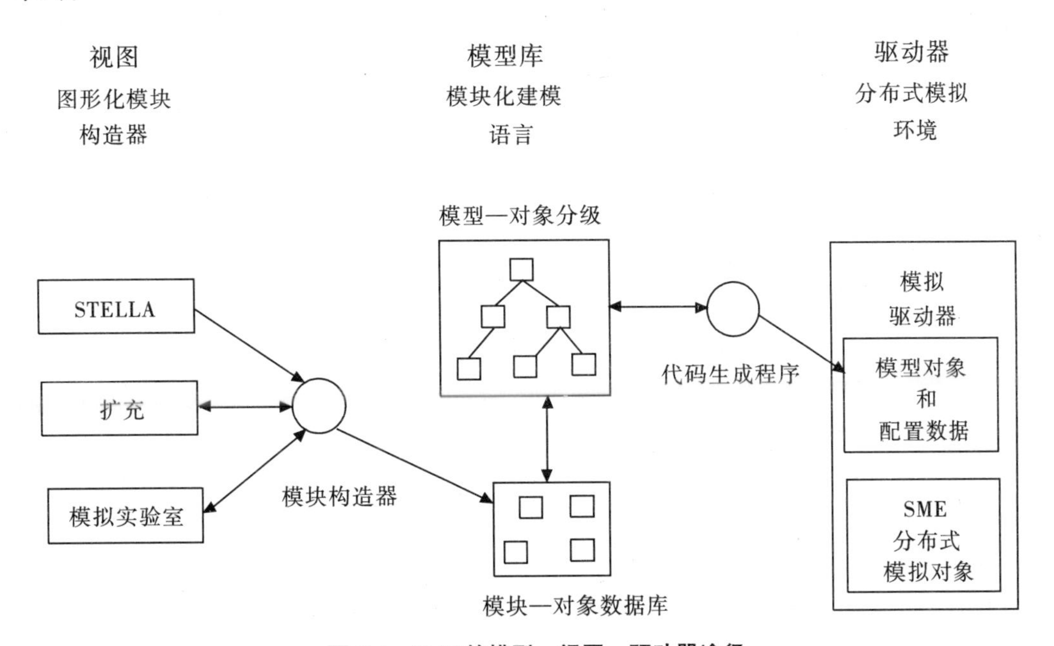

图 7-4 SME 的模型—视图—驱动器途径

SWARM 鼓励程序人员在其建模途径中开发"经验"。SWARM 为模拟期间的模拟时间和系统状态的可视化(二维图像、表格、图表和手画图)和探查模型组件提供了通道。SWARM 是软件程序人员的一个工具,在决策支持系统的开发中是有用的。

SWARM 不是一个首字母缩写词,而是一个包括了相关对象的等级群——对象的群集。在这一意义上,一个 SWARM(群集)是一组彼此间相互作用,且共享同一模拟时钟,彼此间保持同步的一组对象。这些对象中的一个或几个本身可以是群集,这一关系可以通过群集的群集的群集而连续分级。

上面所述的模拟建模环境每一个都有其不同的长处、要求和用处,当我们从一个研究模型进入到重要的管理支持模型的开发时,变得更为重要的是要在建模游戏中包括更多参与者——每一个都有一个不同组合的专家。下一章研究在多学科模拟建模中成功的途径。

第8章 协调大尺度、跨学科的流域建模

计算机硬件和软件的新近进展使得小的土地管理办公室能开发和运行复杂的生态模型,但这并不普遍,因为相对而言,较难获得这种机会。支持土地和水管理的重要模型的开发需要多学科和多方利益相关者的努力,并且在通常情况下这类模型必须开发以处理当地的需求。因为自然系统比一个单一的、一般的生态模拟所能描述的要复杂得多,所以一般说模型都是为特别的流域和为特别的管理目的而开发的。越来越多的地方、州和联邦的土地管理办公室正在探索开发这种模型以协助土地管理决策。这类模型的成功开发需要跨学科团队有效的创建、管理和协调。本节提供一个路线图,据此大的跨学科团队能成功开发动态的、空间的生态模型。模型开发团队的成员和团队的领袖将从这里所描述的使用模型开发的需求和阶段中获益。

一个动态的、空间的生态模拟模型是一个推演出流域随时间变化的、基于计算机的模拟。由建模小组定义和产生的数学、逻辑和统计过程驱动模拟。这些过程是系统状态的函数,它们的输出是系统的连续重新定义。系统状态由模型人员用一些真实的或人为的起始时刻系统的"照片"和"快照"启动。启动可使用各种形式的输入资料,包括栅格图像、矢量数据及目标状态和位置。

通过固定的时间步长进入一个模拟可以适应时间的推移。另一方面,模拟过程可在模拟中动态地排定,以允许不同的过程出现在更适宜的时间间隔,或仅出现在对模拟有意义的时候。例如,暴雨水的排泄在旱季不需要计算,但在暴雨事件开始时应该"开启"。许多模型使用一个小心选择的单一的时间步长以达到:①确保能捕捉最迅速变化的事件的动态;②确保模型能以可接受的总的速度进行模拟。

8.1 建模步骤

建模环境的设计和开发除了必须考虑相关学科的理论基础之外,还要注意一定的原则、目标和建模的途径。在模型构建过程中,软件环境提供给一个模型人员的机会是最重要的,每一个模型的创建者在有效的模型开发中均开发一套被证明是有效的步骤。这反映了建模步骤或过程的软件是首选的。例如,Overton(1977年)列举了建模需要的如下步骤:

(1)列出模型目标;

(2)确认子模型和子目标;

(3)构建和验证子模型;

(4)将子模型组装进总模型并验证;

(5)尝试处理在步骤(1)中确认的问题;

(6)检查模型的一般行为,确认所关心的行为;

(7)进行敏感性分析,确认与所关心的行为有因果关系的结构和参数,验证那些有因果关系的结构和参数。

对任何项目而言,确认目标是最重要的。目标并非总是普遍共享的,大的团体会仅为协商一组目标很轻易地花费很多时间。事实上,这一步骤(步骤(1))能轻易地扩展为通过人类动力学改变一个团体的6个步骤,人类动力学最后包括了一组关于流域管理挑战细节的教育过程。如果一个团体决定需要开发一个模拟模型,该团体就进入Overton的第二个步骤。如果系统足够复杂,则将计划的模型分为称作子模型的组分(步骤(2))。汽车的发动机由子系统组成(汽化器、排气系统、曲轴箱、燃料系统、电力系统和汽缸总体),而这些子系统反过来又由更小的子系统组成。待开发的模拟模型中的子系统可能要进一步划分。一个大的研究计划的分级组织能使个人在团队合作中集中时间、精力和智力于不同水平的不同组分上。在这一过程中一个流域团体会发现他们已经共同地使他们的个人和团体对系统的了解提高到了一个新的水平,在这一水平上用模拟结构进行全面检查已无必要。步骤(3)开始了实际的模型构建阶段,它可以同步地在每一个子模型上实现。当各组分的工作完成,就可以进行组装(步骤(4))。根据子组分的数量,组装会受到挑战,特别当不同的开发团队使用不同的模型途径、数据定义和(或)假定时。使用完全的模型,就能处理模型开发所要解决的最初问题(步骤(5))。模型能提供比寻求目标更多的洞察力,用模型验证不同组合输入的响应是有用的(步骤(6))。Overton的最后步骤(步骤(7))是分析模型对输入不确定性和假设的敏感性,这一步骤有助于建立模型适当水平的可信度,并确认进一步收集流域信息的重要性。

稍经修改的一组步骤详细列举如下。这些步骤已经开发,并已在基于教室的、多学科的空间显式模拟建模中使用:

(1)确认目标和约束;

(2)提出全部的建模约束决策;

(3)概念化总模型;

(4)开发子模型;

(5)开发总模型;

(6)迭代试验和调试。

8.1.1 步骤1——确认目标和约束

确认终端用户

确认模型的终端用户,然后开发一个准确的用户目标和需求的报告。任何项目开始都需要确认目标,然后由确认的约束进行修改。在建筑设计中,美学的目的和工程可能性之间的相互影响是必要的。对模拟模型的设计和开发,下列问题必须引起注意:

- 描述终端用户的特点。这一步骤容易被忽略,因而模型人员常把自己当作终端用户来开发模型。要按照用户的科学和专业经验来描述预期的用户和用户团体。他们会把什么技能带入工作?他们使用模型的频度如何?什么样的学习曲线是可以接受的?最终产品必须与终端用户的能力和他们期望使用的频率匹配,如果产品将被定期使用,则长的学习曲线更能被接受。

●什么样的决策将被作出？终端用户需要什么样的最后模型？确认的终端用户从建模工作中期望得到什么？回答这些问题需要建模者与终端用户之间的大量通信和对话。终端用户的回答并非总是直接和明显的，但可能随时间的推移而发展，并极大地依赖建模者和用户之间的开放的和真诚的通信。建模人员必须定期从高强度和集中的建模工作中回头重新评估所期望的产品在更大的构想中的作用。

●对输出要求有什么样的精度？如果模型具有能产生相关的或建议的输出显示方向趋势可能就足够了。另一方面，终端用户可能需要对土地管理方案的微调具有有用的高精度的数据。

研究工作有多少经费可用？这可能是需要考虑的最重要的问题，因为所有的对其他问题的回答将受到经费的极大影响。

确认可用的资源

特别是下面的问题必须回答：

●可供使用的数据有哪些？任何生态模型，只有与一个初始系统的开始状态相结合时，才能被激活。这种状态能否用已经获得的数据构建，或者必须通过费钱和费时的野外工作才能确定这一状态？

●可供使用的专家知识用哪些？如果有合适的人，模型开发就能以最大的效率进行。如果必须获得专门知识，团队成员是否需要接受所缺少的专门知识的教育，教员能否临时被借用或能否通过金钱来购买到那些专门的知识？

●对正在考虑的系统，哪些应用模型已经存在？对正在考虑的系统构建模型，这是否是第一次的尝试？或者模型已经存在，并已获取了有用的资料和(或)系统状态？

数据包括了定义正在考虑的系统状态的空间数据，并可能采用栅格地图、卫星影像、矢量图、多边形图和(或)点数据(代表了数据的采样点)。系统相互作用的规则将被添加进系统的状态，这些规则定义了另外的数据需要。建模小组在软件中能得到什么样的文献、经验或完全的模型组分？

确认工具的可用性

现代生态建模活动的工具是计算机硬件和软件。

●什么计算机硬件可用？事实上，所有具体位置的生态模型均在数字计算机上运行。当地有什么计算机？项目能使用这些计算吗？通过本地或延伸的网络可访问什么硬件？什么带宽可用于计算机之间的通信？

●有哪些软件可供使用？软件与许可证、特殊的平台和硬件操作系统的版本是捆绑在一起的，对软件必须确认其可用性、关联的硬件和软件间数据共享能力。

●在硬件和软件使用中会有什么费用和效益？可能最适用的硬件和软件将使模型运行比其他候选的硬件和软件仅仅只快几秒(或几分钟)，但费用却要高出一半。

考虑可能尽力的程度

在这一方面需要考虑下列问题：

●对这一工作每个参与者能提供多少时间？不管个人、团队或组织在完成一个任务时多快、多有效和多精通，但可用于完成任务的人员的可用时间才是至关重要的，且容易被忽略。

●什么时间框架可用于团队间的协调？对跨学科的研究工作，必须对团队人员的活力作出评价：成员有多少时间可用于彼此的协调。

对上述问题的回答产生一组限制，建模活动必须在这些限制中发生。一旦回答，团队将考虑在可能的范围内是否有足够的时间从事进一步的开发工作，建模管理者将改进资金支出在各类人员、硬件、软件和其他建模输入之间平衡的理解。在这一点上与发起人和可能终端用户的讨论有助于公司突破关于财政资助决策的限制。然后接着的是公司的人事安排和由项目协调者联合形成的项目期望。

8.1.2 步骤2——提出全部的建模约束决策

现在开始设计最后模型的过程。根据人事、经费和硬件、软件的决定，建模小组必须首先确认目标模型的基本框架，这包括事前关于可能的模型组分、模型的时间步长、空间分辨率、空间框架（栅格、矢量、点或目标）、时间框架、主要输出和运行的基本目的的决定。每一个因素是逐个考察的，然而在很多情况下决策并非是彼此间独立的。

确认可能的模型组分

对流域模拟人员而言，在概念上有一个很宽的模型组分的阵列可用。然而在硬件和软件选择上所作的决定将大大地限制可用的选择。一般地，将要考虑的可能的模型组分包括：

●流域斑块。现在已公认流域特征是模型中的重要变量，它们捕获了单个生物体的运动、生态系统边界的结构变化及空气和水的运动。把流域划分为格网单元、六边形或不规则的多边形能最好地获取一些空间信息。为简化起见，大部分模型选择仅使用这些格式中的一个和一个固定的分辨率运行（分辨率常常按照模型系统运行的时间步长进行选择）。

●线性目标。一些作为线性对象的空间结构能最有效地获取。这包括了溪流、河流和大部分人造结构，如道路、围墙、建筑物和停车场。要同时容纳线性目标和以栅格或六边形格式存储的流域数据是很复杂的，但常常是不可避免的。

●离散的、移动的目标。如果个体、个体群、交通工具或一个濒危物种的个体是模型的关键组分，则它们必须表达为离散的、移动的实体。这样的目标必须能够从流域空间的位置上“断开”，并在某一相邻的空间“再连接”，在那里它们将与环境相互作用。

确认可能的模型相互作用

可能的模型组分有种种可能的相互作用需加以考虑，这些足够再写一本书，在本书中不可能给予足够的考虑。下面的清单仅仅提出可能的模型相互作用的范围。建模小组必须确认最好的模型相互作用，以把握所考虑的系统。

栅格 GIS 相互作用

传统的地理信息系统（GIS）相互作用的课程已由 Tomlin（1991 年）开发和讨论。GIS 操作的实例包括以下几方面：

●简单的同位置叠加。可以将地图作为变量，用数学方程式表示。例子：①查找本地满足一定标准的场地；②查找与建议的流域变化有关的相关关系，或对流域可能的局部影响；③用数学关系（如，根据通用土壤流失方程的土壤侵蚀潜力）对一套图（如坡度、坡向、土壤特征、降水）进行转换，以获得新的解释。

●近邻操作将计算机输出作为每一图上场地周围小区的状态函数。例子:①计算坡度或坡向,作为地图上场地周围小区的函数;②确定一定数量的流(如水和气)的方向;③确认迅速变化的地区(边缘探查)。

●元胞自动交互。一个两维的元胞自动机是一个作为方程结果的随时间而变化的面。这些方程产生作为元胞和它的四个(或八个)邻居的函数的系统中场地(该元胞)的将来状态。这一途径被 Conway 的"生命的游戏"(Maclennan,1990 年)所普及。为了研究元胞自动机途径的质量和特点,元胞常被赋予有限的状态函数(<256)。放宽这一赋值以容纳大量浮点库存导致了 Costanza 等(Costanza 等,1992、1993 年)使用一种元胞模型类型,其中,具有固定步长的动态生态系统模型与以规则的格网单元阵列安排的大量土地小区是同步运行的。每一个单元是作为均质系统处理的,在每一个时间步长上,它们能受到其状态和相邻单元状态的影响。

●矢量 GIS 交互。作为多边形和线性要素存储的流域信息也能代表交互和移动的对象,其例子可以是沿道路的交通流模式,或在非常暴雨事件时溪流或河流网的水文行为,像城市、停车场、私人土地或稳定生态系统区这样的实体作为多边形数据要素存储是最有效的,对模型而言在概念上作为清晰的实体是很容易的。

●移动目标间的交互。一些建模工作需要确认能跨越流域移动的清晰的实体,其例子可以是濒危物种的个别成员,在流域内运动的交通工具,或者与之有紧密联系的一组这样的目标。

交互也能以这些众多类别的混合或杂交形式出现,作为移动目标被模拟的动物必须与作为矢量实体而模拟的漫流中的水,以及作为空间上固定的元胞模型的一个组分而模拟的植被间相互作用,实体能通过在模型空间运动的声音、花粉、繁殖体、信息素和废气彼此之间通信。很明显,可能互动的范围是很大的。一般地,可用的软件将极大地限制局地建模工作的选择。

时间框架

一旦确定了建模工作的目的,就应相对直接地确认模拟模型将在其中运行的时间框架。建模小组必须把这一决定建立在可以预见的时间长度上,使得管理决策能够影响未来。这必须与对模型的预测能力随时间而衰减的速度有根据的猜测相协调,就如基于广泛的天气模式模型的晚间新闻上的天气报告,模拟运行的时间越长,则它的预报能力所具的可信度就越低。时间可信度的问题也可能有例外。如空间模型可能在总体尺度上显示稳定性,但在详细的尺度上则显示了随机的输出,即在模拟运行中,总体模式持续存在,但在细节上,这一模式准确地位于何处可能会随模拟的不同运行而改变。一般地,对目标时间框架的回答直接来自终端用户的要求。

时间步长考虑

在确认的时间框架内,模拟模型将从某一起始时间向目标模拟的结束时间而进行。模拟怎样随时间而进行呢?有三个基本途径:固定的、变化的和事件驱动的。

●固定的。概念上这是最简单的,但在功能上是最有限的。模拟以一个固定的速率随时间进行,系统状态供给模型以数学和逻辑,产生为下一时间步长所用的系统状态,这一时间步长始终是预定的面向未来的时间步长。其优点主要是对模型人员来讲很简单,所有的方程是对已知的不工作时间(d_T)而产生的，时间推移的计算既无必要也不合适。当模型必须考虑以完全不同的速率运作的活动时，固定时间步长的缺点就显现出来。植物的生长适于用一天，甚至一周或更长的时间步长来模拟，而冲走植物的洪水需要几秒钟的时间步长。选择反映了植物行为的不工作时间(d_T)就不能捕获植物被冲走的过程；而选择能捕获暴雨的不工作时间，则在现有的硬件上永远不能完成模拟。

●可变的。另一个解决的办法是使用可变的时间步长。这一方法可以采用两种基本形式：第一，可能存在一个对全部模型均可用的单一的可变时间步长，时间步长预置到一个长的不工作时间，这一不工作时间将根据在模型中探测到的变化速率而动态地修正。如当暴雨来临时，模型将探测到快变的活动发生并能在一个短的时间步长上重新运行。第二个形式是对模型的不同部分设定不同的固定时间步长。这一途径在保持固定时间步长相对简单性的同时能减轻一些计算负担。

●事件驱动。这一途径中没有明确预设的时间步长，它们已被排定事件的系统日历所代替。植物子模型可先执行，然后根据活动速率排定自己在晚些时间的更新。暴雨子模型可以排定在暴雨实际排定发生的时候运行。这一途径对必须最好地使用可用计算资源的模型是最有吸引力的，但从模型人员的观点看是最耗费时间的，因为它要求产生十分大的模拟模型。此外，可供利用的硬件和软件有可能限制可作的选择。当可进行选择时，模型人员应该权衡使用不同途径的成本和效益。

空间分辨率

最后，必须考虑将要模拟环境的空间表达分辨率。上面讨论的时间分辨率是很重要的，而模型中使用的空间分辨率也同样重要。在流域中移动或影响其邻居的实体，应该在一个单一的时间步长上移动或传送它们的影响而不超出空间斑块的尺度。例如，假使一个捕食者或一个移动的交通工具以一个不工作时间(d_T)运动 100 单元的距离的速度越过一个分解为 10 个单元的地区，该实体将不影响也不受其间地区的影响，而是好像“卷过(Warp)”空间，避开了途中的任何障碍和机会。因此，对整个模型，或对包含运动的模型的部分，固定一个不工作时间将直接影响到显著地形特征的分辨率。地形分辨率设计可划分为：

●固定的。地形特征采用固定的分辨率，该分辨率对流域表达是不变的，在空间模拟环境中，正方形格网单元或六边形规则排列是普遍使用的。规则排列的优点是概念上简单，因为这样模型不必根据不同的或变化的分辨率来修改它们的行为。

●分等级的。模拟出现在不同空间分辨率上活动的模型，可以采用一种以分等级的方式保存信息的空间数据结构。每一个单元或六边形可以迭代地分解为更小的组分。大的实体(天气系统、鸟群、孢子或花粉等)的运动可用相对长的时间步长和大的空间斑块迅速跨过系统。较小的实体(个体或交通工具)可在较小的时间步长和较小的斑块上运作。在这种情况下，数据在各种尺度上同步保存。

●可变的。在大的物体缓慢移动通过流域的情况下(生态系统、漫游的有蹄类兽群或入侵物种的种群)，在保留确定了实体动态变化范围的详细的空间结构时，要求把实体保留为单一的整体。这种类型的运作要求在一个细的分辨率上维持空间范围，但在一个较粗的分辨率上模拟对象的动态。

8.1.3 步骤3——概念化总模型

现在可以开始有整个建模小组参与的实体模型的概念化。此时,小组已确认了所有的约束,他们将按照这些约束进行他们的建模试验,他们已经确认了全部的目的和目标、用户期望和小组中可用的经验。在个人能开始模型细节的工作之前,这一步骤应得出以下结果:

(1)期望的总模型所确认的子成分;

(2)每一子段需要的输出;

(3)模型初始化要求;

(4)可用的,但尚未使用的模型输出。

以模型输出要求为焦点开始总模型概念的开发。这些要求常常采用能显示模型中某事物状态的时间序列输出,可能包括生态系统健康、濒危物种的状态、财产估价、土壤深度、土地利用模式、交通工具或个别生物体的位置和路线。在所有情况下,必须考虑一些特别系列的输出需求并必须驱动所有继后的决定。对这些输出的每一个,小组应接着确认什么因素直接影响这一输出的状态。对这些因素中的每一个进行概念敏感性分析,以帮助确定认为它们将是决定所考虑的输出状态变化的最重要的因素。关于重要因素的信息将记录下来,以帮助直接和继后的模型精确化。建模试验开始聚焦于一个敏感特性范围较宽的变量上,建模人员必须寻求确认对计算正确的模型输出是最关键的那些模型组分、变量和数据需求。也就是说,模型输出对输入的数值是敏感的,但对某些输入更敏感。在模型开发期间,包含和开发模型组分和数据输入的决策必须依据在竞争机会中的相对重要性的专业判断。重复这一过程直到小组满意地认为该概念模型足够复杂,能回答主要问题,但仍能在已经确认的约束下完成。

总之,完成总模型概念化的步骤为:

(1)确认和讨论期望的主要模型输出,并从将要向整个系统提出的问题开始;

(2)讨论在主要的状态变量中产生精确的状态变化可能需要的模型输入;

(3)对每一可能的输入,进行概念上的敏感性分析,以区分可能输入的优先程序;

(4)对每一重要的输入重复前两个步骤。

建模小组现在已组装了一个大致的概念模型,并对确认组分的相对重要性有了一个看法。这一概念模型是根据小组确认的模型开发约束所作的团队努力而产生的。

子模型确认

在这一阶段,开发小组分配给他们自己概念模型的各种组分,子模型开发小组或个人然后得到他们个人的任务。这一任务应从一个更大需要的关联中进行理解,并被开发为最后模型的一部分。在项目的使用期间,他们将保留他们对总模型子组分的“所有权”。因此,总模型的这一分解必须小心实现,并考虑到以下方面:

(1)小组成员的经验;

(2)小组成员的可用性;

(3)小组成员的学习需要。

这一阶段通常进行得比较平稳,因为小组参加人员的能力通常在模型概念化阶段已显现。

确认子模型需求

子模型小组(可能由单个的个人组成)现在开始他们的建模工作。这一工作从模型一部分的进一步概念化开始,其直接的目标是来自子建模小组的对外部模型需要的陈述,这一过程变成子模型小组中的重复的对话,通过子模型输入需求和子模型输出可能性的确认,小组工作转向小组间的设计和开发协议。这些步骤是:

(1)子小组确认外部输入要求;

(2)子小组确认可能的输出;

(3)子小组工作转向关于子模型输入和输出的协议。

协议必须确认公用的状态变量、变量单位和变量分辨率。在取得一致意见前可能要经过几次重复的争论,重要的是不要轻率地达成协议。如果一个子小组认为有一个关键输入可用,并据此努力开发了一个子模型,以后这一输入如不可得到将严重削弱整个小组的内聚力。

模型初始化要求

作为确认子模型需要的一个特殊情况,模型状态变量必须从外部用零时间步长时系统的工作描述进行初始化。按照变量模型存储的途径,将需要外部的数据源,如栅格和矢量图、场地描述表、实体状态描述和外部模型输入(如全球气候模型)以启动模型的状态变量。这一工作与模型规则和方程的开发一样耗时和困难。小组成员将被分配从事这一工作,并将类似地展开争辩和建立子模型小组间的工作协议。

8.1.4 步骤4——开发子模型

子模型的确认、子模型开发小组、子模型交互需求和期望、子模型的初始化要求和完善子模型组分的时间框架均已完成。子模型开发小组现在可以独立地聚焦于进一步的设计、改进、调试和子模型组分自身的敏感性分析。注意,如果子模型太难于操作,则必须利用上面所述的对总模型的步骤将其划分为可管理的部分。实际上,非常艰巨的模型在允许个人聚焦于模型的因果数学开发前,需要几个层次的分割。

这里不描述子模型开发过程的细节,因为没有适用于所有个人和模型的步骤,这是个人在模型和建模过程中能最好地发挥创造性的领域。

然而,在子模型的设计和开发中有许多活动和目标必须加以考虑,我们把这些问题归为两类:一般模型和群模型。一般模型类将不在此处讨论,但将涉及到一些问题,如保持模型简单、保持模型能被预期的读者理解、确保模型中的单位正确和实施敏感性分析。此处更感兴趣的是与子模型的设计和开发有关的群模型要求。

子模型必须在为项目建立的参数范围内开发。

(1)命名变量和存储,使其在最后的模型中能以确保惟一性的方式被其他子模型访问。例如,两个亚群可能都想使用“年龄(age)”这一变量名词,而当每个子模型都这样做时,在子模型集成时就会发生困难。

(2)仅使用可用的软件和硬件。

(3)仅依靠可用的外部子模型输出。

(4)产生所有模型要求的输出。

(5)使用和产生所有的输入和输出,其使用的单位应在群的层次上达到一致。

(6)在商定的时间框架内完成子模型开发。

(7)迅速而灵敏地将所有要求的变化与其他子模型小组交流。

(8)连续监测子模型的内部状态和外部输入变量,以确定子模型是否在合理的或试验的参数范围内运作。

利用群模型产生的人工时间序列数据进行试验并开始改进子模型,当单个的子模型完成后,将它们集成为总模型。

8.1.5 步骤5——开发总模型

当子模型作为单个的、孤立的实体完成后,它们就可用于最初的集成工作。因为每个子模型是对一个通用的时间序列输出试验环境开发的,所以它们应该以无缝的形式,仅有一点或没有冲突地结合在一起。然而子模型的集成者必须小心地探测一些问题,如单位的错配,两个或更多的子模型使用同样的变量名词(然而代表两件不同的事情),以及不同的或不可用的信息。

一旦子模型集成并同步开始工作,子模型将响应来自试验环境的不同的输入组合,这可能引起总模型的意想不到的输出行为。为了减少隔离这些问题来源所需要的工作,子模型应包括评价子模型的输入是否在可接受范围内的指示。为此,设置一个指示器,当子模型工作的输入超出允许范围时,该指示器能予以显示。

8.1.6 步骤6——迭代试验和调试

一般来讲,总模型开始时不会像预计的那样工作,建模小组需要紧密地配合在一起,将模型作为一个整体进行评价并监测子模型在整个系统框架内运作时的行为。意外的循环、无序的活动、子模型的运作超出了其敏感性的范围、明显的无意义等必须检出并分析。需要改变子模型时要与适当的子模型小组交流。

为进行调试,总模型的集成应该是一次一个子模型,即两个子模型应结合在一起试验。一旦它们如期望的那样工作,再引入第三个模型(或者已经一起试验过的另一套两个子模型),通过整个小组的工作将问题分离出来。这一工作包括由每一个子小组小心地检查在总模型集成和试验中子模型的行为。

一旦开发小组满意于模型的工作,终端用户将进入参加演示和反馈。时间的可用性,认识到的质量和适应性,用户需求的变化和资助的可用性将影响进一步改进或重新开发的机会。

8.2 管理关注

跨学科的工作有特殊的管理要求。不同学科背景的个人常常把不同的范例带入他们对问题的求解过程。这些不同使交流变得困难,但提供了很大的教育机会。然而,此处我们所关心的是与模型开发直接相关的问题。下面确认的是负责单个模型工作集成的个人和小组必须考虑的一些问题。

子模型的所有权问题

由个人组成的小组所承担的大的、复杂的、多学科建模工作必须拆分为逻辑上比较小的工作。每一个较小的工作在项目中扮演的角色要在整个项目的范围内确定。最终完成的每一个子模型可以作为个人努力、想象和经验的结晶。子模型的开发人员从确认子模型的需求开始，一般是独立地持续完成开发，然后在总模型集成过程中进一步改进并完成。至关重要的是子模型拥有者必须参加每一阶段的工作，在项目完成之前必须避免产生“移交”一个模型组分的诱惑。如果一个项目中早已“完成”的组分需要改进或作其他的改变，则由子模型作者进行修改几乎总是更有效。当另一个人被分派做修改工作时，通常“从擦除开始”比耗费很多时间去了解原始组分要更容易。从时间、费用、完成中的自尊心和避免中断考虑，在整个项目期间必须保持子模型的所有权。

子模型的开发：一部分，而不是结束

子模型必须作为项目的最终产品的一部分，其自身不是产品开发的终结。开发者必须保证他们开发的子模型能提供总模型需要的输出。另一方面，如果所开发的子模型比预先设计的大得多，这将浪费开发资源，并使得模型运行十分缓慢而让人无法忍受。

什么（力量）使小组团结一致

协调跨学科的小组特别困难，小组中必须有人负责把个人的背景、动机和经验组织到一起。当意见不同时，必须有人出来领导，协调各方关系并作出决定。选择最合适的个人坐这个位置可能是全部建模过程中最重要的决策。理想地，这个人必须从人事层面和技术层面与小组所有的成员很好地合作；这个人必须被信任能作出好的慎重的决定，并对小组要达到目的的过程有很好的了解。

确定进度

在一个能实现的预期框架内人们工作得最好。进度表在可用的时间、能量和能力的框架内确定这些期望。一个小组必须根据一个公共的进度表工作，该时间表在现实的时间框架内提出可达到的目标。一个现实的、有效能的进度表必须与小组成员一起开发并与小组交流，在计划的范围内设计建模和模型。

反馈要求

本书描述的建模过程划分为三个阶段：①全部模型概念化；②子模型设计和开发；③总模型集成。因为每一阶段的活动是或前或后紧接着完成的，所以这些阶段的界线确定稍微有人为的因素。总模型的概念化是依据子模型设计工作的反馈完成的，而子模型的设计工作又仅仅是按照总模型实施阶段的反馈而完成的。实际上，三个步骤定义了一个互动的过程，在这一过程中，每一个随后的总模型是建立在以前工作的成就和教训的基础上。

从子模型的设计和开发到整体模型的概念化的反馈包括如下问题：

- 确认的子模型能否利用可用的经验开发？
- 是否存在数据以支持概念模型的需求？
- 在可用硬件上总模拟模型将运行多长时间？

从总模型集成到子模型设计的反馈包括如下问题：

●在总模型的范围内子模型如何运转？
●在总模型的操作中选择的时间步长能否捕获动态？

8.3 结论

本章勾画了一个框架，在该框架内一个跨学科的研究人员小组能设计和开发一个大的、动态的、空间的、生态的流域模拟模型。我们探索了在小组全体人员批准的工作与需要个人的想象、经验和动机的工作之间的平衡。总模型的概念化是对由可用资源调节的终端用户的需求而实施的。在总模型概念化后，将模型分解为通过个人努力能开发的部分。当按照全部设计要求完成模型组分后，将模型组分组装成一个能够运行的最后模型。总模型的调试需要由这些组分的原来开发者对组分进行修改。

在这一多学科途径中，领导是至关重要的，领导必须善于发觉并妥善处理因小组成员的个性、背景、动机和时间可用性等差别造成的问题。使用此处勾画的途径将帮助领导和小组成员成功地设计、开发和运作大的复杂的空间模型。

第 9 章　分析可选方案

以前的章节讨论了建模的基础和途径,并综述了大量的建模环境和模型。现在假设模型已产生并(或)被接受用于协助流域管理决策。有效的自然资源管理涉及候选的管理计划和方案的比较。当地公民和科学家的意见、专门学科模型的输出、大的多学科模型的结果均预测了候选方案的后果。由于众多原因,对各种意见作出决策往往是很困难的。首先,当涉及到多个利益相关者时,不同的评估系统将导致对选择方案的不同的分级;其次,任何一个管理选择都不可能完全满足许多目标。目标之间通常是竞争的,对个人而言,了解一系列重要目标之间的关系是很重要的。本节我们探讨根据其满足一系列提出的目标的能力,协助在一系列选择中进行挑选的方法。然后,我们简要地看一看使用计算机模型产生改进的选择的可能性。

9.1　决策的协调分析

我们的生活充满了无休止的决策。我们将决策与自由、痛苦、苦恼、机会和自我完善联系在一起。我们使用各种方法进行决策。可能最可笑,但也是最危险的途径是感情用事——迅速作出决策而未作深入的思考。对后果非常有限的决策,这一途径能较好地工作。第二个途径是"相信你自己"的途径。通过思考、祈祷和(或)冥思苦想感知每一种选择的价值。这可能是我们作重大决定时的最常用的途径。我们鼓励彼此"相信我们的心"。考虑到不同的方案实际上与厌恶、和平、不快、欢快或满足等明显的情绪相关联,所以将这一途径接入我们的关于世界的复杂的内部概念模型。该模型是通过在这个世界上取得的经验开发的。这一途径依靠我们能信任的足够精确和可信的经验。年龄关联着智慧,通过全部的生活经验,我们内心的关于世界的模型在持续地改进。在商业、政府和个人生活中的大部分决策几乎总是以这种方式作出的。这一途径的重要缺点在于,当相互交流表明具体决定的理由时,仅靠语言是不够的,而在多利益相关者的情况下,交流是至关重要的。交流能间接地通过共享共同的经验而进行。这就是为什么对流域团队而言,访问流域有问题的地区、看看地形、听听受现有问题影响的人们的故事、视察洪水的结果、闻闻死水的气味、触摸植物、感觉自然系统的力量和美丽、巡视将被影响的事和人是很重要的。然而,即使在有了共同的体验后,团队在作出集体决定中仍然面临挑战。在这种情况下,以一种更正式的途径进行决策协调分析是有用的。模拟模型可以用许多方式帮助解决交流的难题。首先,将模型或一系列模型真正地结合在一起的行动能提供一个讨论目的和目标的机会,研究可用的资源和讨论关于流域系统状态和动态的个人和团队的概念。其次,如果团队能够对模型的输入(状态和动态信息)意见一致或予以接受,则接受模型的输出和预测就会变得容易。流域管理往往包括了在多业主、多目标和多管理战略选择情况下进行管理决策的技巧。在这一过程中,一个空间显式的模拟模型在哪里和怎样才能正确使用呢?

群决策可以有很多途径来进行。一般的途径是按大家都同意的决策进行下去。我们喜欢意见一致的铃声,散会并宣布成功,没有反对意见。遗憾的是,这类决策是不真实的,没有严重的后果,并包括了"进一步的研究",但在计划的几月或几年后,这类决策会成为团队工作最后的终点。这一途径的进一步改进涉及到版本包括了个人之间支持决策的协议,交换条件是他们自己的愿望得到支持。如一个"环境论者"可能支持开发高尔夫球场,作为交换是从经济开发委员会得到承诺,支持产生一个野生动物的保护区。这种协议会导致一个更广泛的流域管理计划。强有力的和有效的领导在开展个人和团队间的协作而不至于使他们彼此对抗是至关重要的。

协调分析的形式化决策得以开发并用于协助决策。为了展开思考这一方法的思路,我们想象一下买一辆汽车的决策。许多方案已经确认,即许多不同的汽车已经引起你的注意,你想作一个理性的决定。对每一辆车你已知道它们的价格、颜色、车龄、用户满意度、维修需要、每加仑汽油的公里数和马力。虽然在同一时间要比较的车的全部性能是太多了,但你可能愿意比较各种质量。如你可能喜欢大的马力和大的每加仑公里数,但这些通常是矛盾的。你可能确认为了节约每加仑每英里的运费你愿意牺牲多少马力。类似地,你可以对比年代和用户满意度。在表达了你在这一层面上对细节的偏爱后,就可用逻辑的简单的算法来检查你的答案中的相容性,然后确认能最好地处理你的偏爱的方案(车)。许多不同的方法已经开发,以从决策者那里收集信息,然后将这些信息应用于即将作出的决定。这些方法可在商用软件中找到。

9.2 分析的途径

图 9-1 提出了一套相当简单的目标和与之相匹配的一套行动。在实际生活中,所列举的目标清单可以保持得很简单,但通过创造性思维产生的行动清单可以是冗长的。一个两极化的团队除非进行进一步的研究,否则是不可能对任何行动找到完全一致的意见的。几个形式化的决策过程已经开发,以便能在一个复杂的环境中,根据从决策团队提取的相对简单的信息提供即使不是最优的,但也是好的决策。一种方法是 Saaty(1987 年)提出的层次分析过程(AHP)。这一方法已经被容易使用的、面向决策者的软件所采用。例子之一是 Expert Choice[1](专家选择)。AHP 将选择或方案分解为组分,再将这些组分分解为亚组分。决策者在最低的层次上确认协调兴趣,而算法被用于人类的输入以帮助在下一个更高的聚集层次上确认协调,一直到在一个最高的层次上确认决策。另一个方法是多属性效用理论(MAUT)(Posavac 和 Carey,1989 年)。这些方法和其他的技术从在任何一个时间仅仅包括部分决策空间的个人和团体导出简单的协调决策。当需要的信息已经收集到时,简单的软件计算就可以反映输入的一致性。一旦用户满意于结果,就能根据他们认识到的对目标的影响,以及个人和团队对目标的偏好,用简单的算法对提议的行动的等级进行评定。

---

[1] Expert Choice—http://www.expertchoice.com

多目标协调分析		目标				
		成本	改进事务	改善生物多样性	改善群落	改良水质
行动	主办流域集市	高	中	中	高	低
	提出立法	高	低	低	低	中
	稳定河堤	低	低	中	低	高
	购买河边地区的产权	低	低	中	中	高
	恢复溪流的曲流	低	低	高	中	高
	为旅游业作广告	中	高	低	低	低
	研究该问题	低	低	低	低	低

图 9-1　多目标协调分析

许多数学方法可以用于将认识到的影响与目标偏爱相结合。图 9-2 的基础是图 9-1，但用数字 1、2、3 分别代替了高、中、低的分级(注意成本列中的“高”表示“对低成本目标的高影响”，而不是“高成本”)。此外，每一目标都匹配一个数值以比较其重要性。对于分级，用目标重要性乘以行动对目标的影响，然后相加即得到其等级级别。如“主办流域集市”行动的等级级别为：

$$3 \times 3 + 2 \times 2 + 2 \times 2 + 3 \times 3 + 5 \times 1 = 31 \quad (9\text{-}1)$$

一个由环境、经济和社会健康组成的完全不同的委员会可能提倡的惟一的行动是“研究该问题”。考虑到这一点是很有意思的。但是在这一案例分析中，任何行动都评得较高。这样的一个委员会可能发现，这对确认每一提议的行动对指定目标的影响提出了挑战，而技术委员会在这件事上是很有用的。但是，更多的挑战是发展团队对不同目标相对重要性的共识。团队可迅速地用各种重要性赋值的组合进行试验，从而试验简单模型对赋值的敏感性。这一练习会发现许多已经很清楚是很差的行动，它们可从进一步的分析中被去掉。

确认重要性赋值有更严格的方法可用(如收集在 Expert Choice 软件中的方法)。例如，报酬渐减定律指出，当人们有更多的某物时，该物的边际增量值下降。举一具体例子，当水质差时进行的稍微的水质改良，比水质已经很好时的改良要重要得多。一块土地支持生物多样性的值，当它是第一块土地时有很大的差别，但当它是第一千块土地时差别就很小。我们来考虑图 9-2 中的目标。在我们简单的对行动的比较中,我们仅指出了获得每一目标相对重要性的一个数字。如果我们仅仅做满足目标的边际差,这是足够的。但是当这些目标满足后,进一步满足目标的重要性就会下降。一旦环境目标得到"足够"的处理,一个环境学家会高兴地支持经济增长。类似地,一旦商业需要得到足够的重视,当地的商业兴趣将支持环境目标。需要一个更复杂的方法定义协调曲线,这正是像 AHP 和 MAUT 这样的程序的能力变得重要的地方。

多目标协调分析	目标					行动的等级级别
	成本	改进事务	改善生物多样性	改善群落	改良水质	
重要性	3	2	2	3	5	
行动：主办流域集市	3	2	2	3	1	31
提出立法	3	1	1	1	2	26
稳定河堤	1	1	2	1	3	27
购买河边地区的产权	1	1	2	2	3	30
恢复溪流的曲流	1	1	3	2	3	32
为旅游业作广告	2	3	1	1	1	21
研究该问题	1	1	1	1	1	15

图 9-2 对行动评级

9.3 小结

流域管理团队通过将资源分配到许多建议的行动(活动)寻求同时处理众多目标的途径,建模不是用于确认目的和目标或者提出选择,流域模型的作用是预测由建议的行动所引起的期望的结果。当这一前后关系被完全理解时,流域建模的应用是最有利的。当模型被小心地用于结合管理选择的目标时,本章评述的选择的协调分析才是有用的。

第 10 章　谁开发和运行模型

本章考虑三种可选择的方法运行模拟模型,进行土地和水管理的决策。科学团队对驱动模拟模型的许多动态的定义有首要的责任。因此,第一种方法是科学家运行并解释模型;第二种是双重的模拟建模方法,在该方法中科学模型被用于为较简单的管理模型提供变量;第三种方法是从科学模型中产生管理模型。

在评述这些方法前,了解为什么没有重要的转换科学模型一般就不适用于管理应用的道理是很重要的。什么是"管理"模型和"科学"模型之间的差别,以致需要进行转换工作呢?典型地,科学家通常将所考虑的系统分解成一些组分以求得其进展。要实现孤立就要使尽可能多的系统变量保持不变。系统状态和动态的知识是基于科学方法通过试验搞清的。将系统组分孤立开来进行研究的要求支持了今天我们所拥有的科学社会的结构:一系列的学科常常是孤立的,每一个学科通过"被控"系统行为的研究发表他们对自然的见解。这些见解是作为系统的模型而表述的,而模型能装入计算机软件作为电子数据表、统计相关、动态模拟、方程组、各种各样的算法。由于科学过程的性质,模型集中在大系统的小组分上,所以对自然系统的管理用处不大。尽管系统中的大部分组分在被严格控制的实验室条件下,它们可能被证明是精确的,但在动态无法控制的自然环境中很少有用。

对土地和流域管理人员的第二个挑战(不是科学家所关心的)是定义管理过程要处理的目的和问题。管理能迅速地变得极端困难和复杂。Rittel 和 Webber(1973 年)用"捣蛋的"("Wicked")这一术语来表征这类问题。"驯化"("Tame")问题是指那种容易用已知的信息和已开发的技术处理的问题,它们可以是很复杂的问题,但它们已屈服于人类了解和控制他们的努力。Rittel 和 Webber 确认了定义为"捣蛋的"问题的如下的一系列性质。流域管理人员将很容易认知它们的挑战。

- 问题难以定义。利益相关者很容易被关于所要解决的问题的定义的争论弄糊涂,他们发现共同确认问题很困难。
- 问题可以在各种分辨率和抽象的层次上处理,需要对复杂性进行判断,以确定适宜的处理层次。
- 不可能预先确认能完全成功地解决的问题。
- 在最好的情况下,解决办法也只能判断为较好或较坏,而永远达不到完全正确或完全错误。
- 任何解决办法的成功都不能客观地被评判。
- 在应用一个解决办法过程中发现了替代的解决办法。
- 在寻找解决办法中,强大的、道德的、政治的或是专业的成分常常起到关键的作用。

流域"捣蛋的"问题能关联重大的多利益相关者利益和(或)高度的科学不确定性(参见第 2 章图 2-4)。提出流域管理者主要面临的"捣蛋的"问题并不是承认失败或建议立即抹煞科学、技术和空间模拟建模。然而,它确实提出这种模型的使用必须适应每一个个别的情况。下面的讨论包括了三个使用动态模拟建模影响决策的截然不同的方法。

假定你的流域管理团队或县土地管理办公室已经决定使用一个动态流域模拟建模的方法以评估一系列的土地管理选择。可能他们正在讨论一个关于所作的选择对当地野生动植物和暴雨水流及洪水影响的决策。你现在正在考虑团队应怎样继续建模工作。根据你的可用的时间,应该评估三个基本的选择:经费、精度需要和人才。下面要讨论的第一种选择是把任务移交给科学家和工程界。你和一批专家合作,这批专家用他们室内的模型和专门技术进行选择,在晚些时候你会收到模拟的结果和解译。在第二种方法中,你接受了一个两阶段的建模途径,能在管理办公室操作的管理模型,从科学家操作的复杂的科学和工程模型产生的结果中得到输入。第三种方法是运行已经有复杂的科学和工程模型嵌入的本地的管理模型。每一种方法都有自己的一套成本和效益,现描述如下:

第一种方法(图 10-1)是雇用一个科学顾问团队或个人进行模拟、解释结果,并以报告的形式提供反馈。这是一种传统的方法,通常通过一咨询公司、大学或政府机构的合同来实现。专家们则根据他们的判断力使用可用的模拟模型,从各种来源收集信息和数据作为输入。这一方法的优点在于,在模拟过程中当地的决策者不需要具有任何专门技术。科学在决策中的作用完全掌握在"专家们"的手中。另一优点是专家们能使用尚不能供一般使用的前沿技术。缺点是很明显的,当模拟完成后,产品仅仅只有专家的报告,虽然这也许已足够,但要使初始输入更新或以任何方式改变分析则将是十分昂贵的,要检查已做的工作也是很困难的。这一方法要求客户和顾问之间有完全的信任。

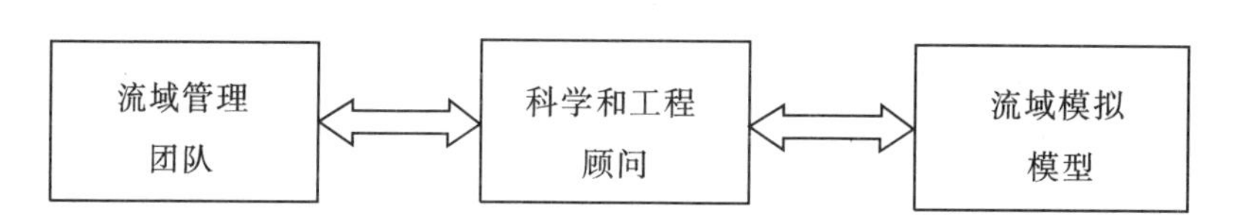

图 10-1 科学家使用模型

第二种选择(图 10-2)是使用一个已经开发的专门用于处理当地管理关注的流域管理模型。这一模型可以是从一个相对简单的信息系统,到一个复杂的包括了已开发的用于迅速评估管理选择的决策支持系统之间的任何一种。信息系统可以采取的形式有出版的书、汇编在 CD-ROM 上的数据和信息或包含了数据、用法说明和思想的因特网址。政府机构和大学持续不断地将大量信息汇编到基于因特网的信息网点,随着信息技术的改进,我们将能存取更多的、在一个本地流域尺度上有用的信息。

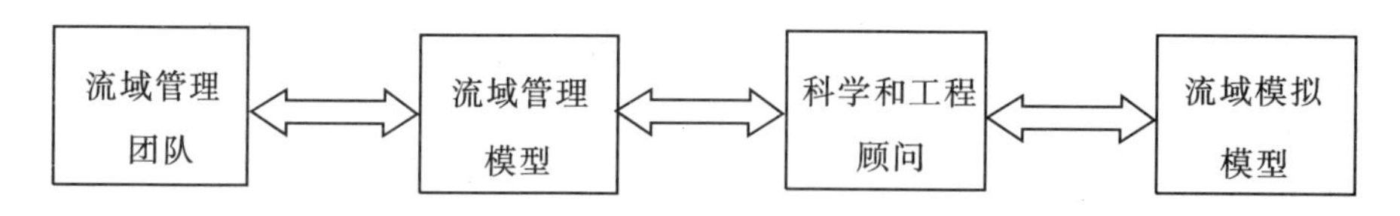

图 10-2 管理使用的管理模型

第三种方法(图 10-3)是将科学模型嵌入管理决策模型,作为其后盾。这一思路在于一个决策团体可能用头脑风暴提出大量候选的土地管理方案。与其间接地通过科学家和工程师用模拟模型工作或间接地通过科学家对他们的科学模型参数化后的简单的管理模型工作，土地管理人员不如运行已嵌入科学模型的管理模拟模型。由于集成和维护完全不同的模拟模型的复杂性，这一方法尚不通用。政府机关和大学现在正在工作以提供对大的面向管理的模拟模型的访问，这些模型要依靠幕后连接的科学模型。与其将这些模型打包供本地的终端用户计算机操作，不如开发基于因特网的用户界面，使用在后面第13章讨论的方法，该界面将能在因特网上运行模型。

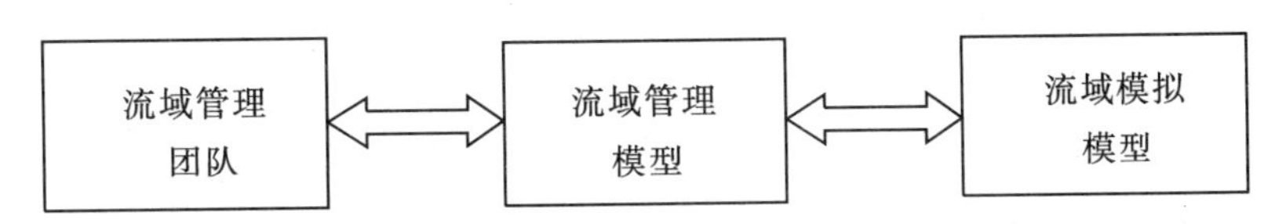

图 10-3　直接与科学模型连接的管理模型

这三种方法反映了从传统的过去，通过现在到将来的模型进展过程。向流域管理决策者传递较好的决策支持的主要方法是通过出版物、因特网数据库和信息站点，以及简单的面向管理的决策协调分析。该分析是基于从科学调查和复杂的科学模型得到的知识。

第11章 误差和不确定性分析

在我们的私人生活中，我们根据概念模型作决定。这些决定影响到我们个人的将来和我们团体的将来，能够预测未来的精确的模型为我们的生活带来成功和满足。我们每个人都拥有吸收过去的教训并输入我们个人模型的一定水平的能力，这样就能帮助我们走向理想的未来。当模型不完全时，或者因为我们对模型缺乏信心，或者我们正在寻找另外的信息作为决策过程的输入，我们所有的人都知道决策的困难。有时我们接受我们思考中的和获得信息时的模糊性，并以此作出决策，同时也完全知道随着我们了解到(我们的模型)的改进和输入的信息更趋完全，我们作出的决策需要随时重新考虑。有时我们更偏好"黑和白"，然后发现我们自己把一个"灰色"领域的决策变成了确定的是或否。对我们大多数人而言，不确定性是不舒服的，我们会发现我们很轻易地趋向采用看上去似乎较确定的想法或决定。

苏格拉底揭示了人类根据自身回避不确定性的愿望进行决策这种倾向的愚昧。在他那个时代，最强有力的个人是那些能通过人格的力量和讲演的能力鼓动一个听众或一群人接受一个论据的人。这些人非常了解怎样利用人类对确定性的愿望和人类将强烈的情绪和重要性联在一起的能力。人们过去会，当然现在也会被简单的充满热情的讲演所支配。今天帐篷奋兴会、超凡魅力的领袖和政治集会为我们提供了目击和参与这一古代传统的机会。利用简单和易被接受的形式逻辑，苏格拉底能向听众显示由伟大的讲演者得出的结论并无意义，这曾使掌权者坐立不安，以致将苏格拉底处死。使人们受充分交流的激情支配的基本人类天性仍然存在于我们的天性中，而那些相信形式逻辑至高权威的人，仍然必须在每一代投入苏格拉底式的战斗。

源于未指明的智力过程而产生的思想和感觉，试图发现生活的一般模式和一致性，而基于这种思想和感觉的个人概念模型必须涉及模型和模型输入中的误差和不确定性。我们有效地或有力地处理误差和不确定性的能力是非常有限的，在许多情况下宁愿根本不涉及概念模型——我们更喜欢简单地接受结论。这里有一个简单的实验来检验这一假说。当某人向你讨教时，先开始掷硬币。如果头朝上，给他一个完全的回答，这一回答对每一个因素从正、反两方面探究各种论据，这样你的提问者就获得更多的信息，可用于得到最好的答案。如果是反面，给他一个简明的回答，并用权威的强烈情绪陈述这一回答。大部分人会对哪一种回答最满意呢？我们大部分人，在大多数时间里都想要直接的、不含糊的答案。对这类答案，这样简单的模型，没有机会去评估可能的误差或不确定性源，只有用苏格拉底的方法，应用形式逻辑，才能找到机会去评估误差和不确定性。由于我们人类的头脑与在大模型中使用的逻辑相抵触，所以把较大的模型写下来以形式化就变得很重要。遗憾的是，将一个人的概念模型与另一个人的概念模型通过语言交流是很困难的。通过共同经验的共享可最好地复制概念模型。因而，只有通过用通用的语言开发关联的正式模型，我们才能开始共同地评估模型误差和输入不确定性的影响。

11.1 误差来源

任何概念的或正式的模型均伴有误差和不确定性。这些误差的来源很多,使人感到非常不舒服和不确定。下面是对误差来源的简要评述。

被排除在外的因素引起的误差

当开发一个模型时,明确地考虑所要模拟的系统的所有部分是很重要的。因为要模拟每件事情是不可能或者不现实的,所以模型人员必须忽略那些极少可能对模型输出和作为目标的管理决策有重要影响的组分。这一非正式的敏感性分析过程是至关重要的,否则会导致需要的模型的关键方面被排除在外。如,一个聚焦于经济增长的流域模型可能不纳入水质问题对吸引高质量劳动力的影响的信息,作为结果的模型可能提出,低的环境约束的业务将增长。但事实上,如果这一影响是模型的一部分,则也许不会得出可能增长的预测。

内含的误差

内含因素的误差具有更细微和间接的影响。因为开发模型的任何部分都要花费时间和精力,所以开发一个对方案评估不重要的模型组分将降低模型更重要部分的质量。

不正确的算法

关于模型中因果关系的想法可能不准确、不适合或者有误导性。非常棘手、复杂和难理解的模型组分可能使外行很佩服,但是如果不正确,这些组分将严重损害模型估计后果的能力。

不合适的内插和外推

科学事实和发现驱动模型。在大多数情况下,试验设计限定在明确定义和良好控制的条件下收集数据,这往往能使因果关系得以确立,但真实情况是这一因果关系只在试验条件下才是正确的,而建模人员很容易采用这一关系。在模型中环境条件将改变,从而将出现环境数据的内插和外推。尽管完成外推很容易,甚至察觉不出来,但证明外推却特别困难。如,一个研究者对一个确定的物种建立环境温度和食物摄入之间的关系,而当温度太高或太低时所发现关系的外推将失效。更容易在不知不觉中犯错的是将这一关系外推至不同的环境条件(如不同的水或食物可用性,或不同层次的食物竞争),或外推至同一种的不同种群,而对这一种群可能已经显示出了一个稍微不同的食物—温度关系。

不合适的时间和空间分辨率

传统上,许多环境模型开发成由一套平行的微分方程形成的解析模型。尽管这仍是强有力的建模途径,但解析模型要求方程是连续的(无环境阈值),它们对于没有许多学习微积分训练的任何人都是难以达到的。一个精度稍差但更灵活和可达到的途径是使用差分方程。这一途径用现代数字计算机求解是经得起检验的。时间和空间划分成明确定义的步长,开发出相对能达到的代数和逻辑方程,用以操作模拟模型从一个步骤到下一个步骤,反复应用方程将使系统状态随时间而变化。流域每一小区的土地和水的信息存储在有规则的预定的间隔中。差分方程同时用于这些小区中的每一个,并使小区在下一个步长的状态建立在该小区及该小区近邻以前状态的基础上。分辨率的选择是至关重要的，时间和空间分辨率是相互依赖的。当一些量(如水)通过空间运动，这些相互依赖就出现。如果这一在一定时间步长上的运动比空间分辨率要更远，困难就会出现。如果模拟动物领地，最容易的是将空间分辨率设置为接近这些领地的大小。模拟作为场地集合的领地具有很大的挑战性，如果忽略将导致结果不精确。

不合适的时间步长算法

正如前一段落所描述的，差分方程被普遍地用于运转流域模型以通过一系列的未来状态。计算下一个时间步长的最容易的方法是利用前一个时间步长的状态，直接应用基于代数和逻辑的方程。与应用平滑的微分方程不同，这一途径能引起数值以线性的形式发生相当大的变化。缩短时间步长能产生更精确的未来情景，遗憾的是，减半一个时间步长需要双倍的计算时间。目前已经开发了几种技术，以缩短时间步长而计算工程量无很大的增加。

不正确的输入

模型由系统的初始状态和一套方程系数驱动，两者均是野外或遥感数据的科学分析的结果。将野外信息的测量转变为精确的模型输入的过程，充满了产生误差的可能。产生误差的可能性从数据收集的设计开始一直贯穿于这些数据的收集和解译的全过程。理想地，应该有一个检查索引，以对每一个模型输入追溯到这些数据的收集，实际上这很昂贵且不可能。

不合适的执行次序

基于差分方程的模拟模型必须对其方程在每一个空间位置上求解。利用现代数字计算机，这些方程通常有几套次序求解，但执行的次序对模型输出有极大的影响。如，考虑种群穿过流域的扩散。在流域内种群的死亡是种群密度的函数，如果在种群扩散前计算基于密度的死亡，则种群将小于首先计算扩散所得的种群，此类影响能导致差别极大的模型输出轨迹并容易被忽略。

不合适的结论

人类偏好用“总是”和“从不”这样的词，偏好接受专家的判断，这能导致我们误入从模型得出结论的歧途。如果一个濒危物种的模型预测一个当地种群的死亡，然后得出结论说这一种群确定一定毁灭，这样的结论是不合适的。所有我们能说的是：一个有很长的假设清单的专门模型提出该种群可能有麻烦。

此外，还存在其他的误差来源，但这一节一定要让你知道，在任何建模工作中，误差源是大量的，有时令人惊讶。对模型人员的挑战是要确认与模型相伴的实际误差，并了解这些误差对于模型为之服务的、考虑中的管理决策的意义。

11.2　追踪误差和不确定性

虽然所有的测量都伴有不确定性，且算法的选择对预测精度至关重要，但作为数据集的一部分，误差和不确定性经常被忽略。在缺少误差和不确定性知识的情况下，要评估它们对模拟模型输出的影响实际上是不可能的。遗憾的是,人类忽略可能蕴涵的能力并不能减少误差和不确定性的重要性及其影响。

我们来考虑误差对一简单模型的潜在影响。图 11-1 描述了一个称作“种群”的简单状态变量的 Stella 模型,每一时间步长的死亡以下式计算:

$$人口\times死亡率 \tag{11-1}$$

出生率方程为:

$$最大出生率\times[1-(人口/最大人口)] \tag{11-2}$$

死亡和出生方程为:

$$人口\times死亡率 \tag{11-3}$$

$$人口\times出生率 \tag{11-4}$$

变量设置如下:

人口 = 1 000

最大人口 = 1 000 000

最大出生率 = 0.3

死亡率 = 0.1

任何变量都可以伴生误差,包括初始人口。方程选择也能伴生误差。在该情况下,出生率方程是最有问题的组分,这是一个表明出生率是人口的函数,并随人口而平稳减小的简单的逻辑斯蒂方程。虽然这一概念可能是正确的,但算法的细节可能是不正确的。我们来考虑初始人口中的误差或不确定性。如果人口估计太低,那么在第一时间步长上的出生也太低,结果在第二个时间步长上得到更低的人口预测值。这意味着初始的低估误差将导致增加的预测误差。类似地,初始人口的高估将会导致出生的高的预测值,求得未来格外膨胀的人口数。其他变量也会伴生类似的误差传递。算法的选择还伴生更为复杂的不易处理的不确定性。

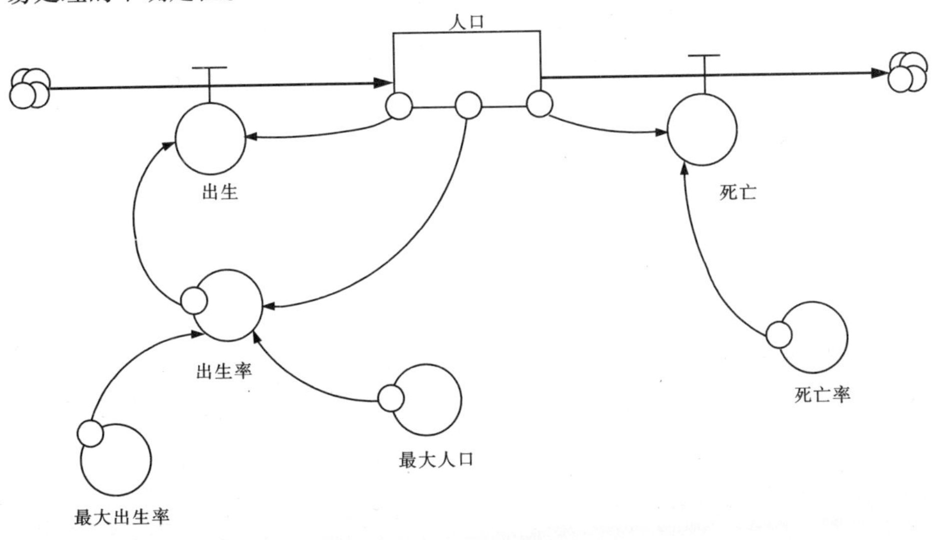

图 11-1　一个简单的人口模型

有许多方法追踪和评估模型误差和不确定性对模型输出的影响,蒙特卡罗模拟是一个普遍的途径。想象一模型包含一个单一的变量,并知道一些关于其可能值的范围和每一个值的概率。模型运行若干(可能许多)次,每次根据已知的概率分布使用一个随机抽取的值。在多次模拟运行后,显现模型输出的分布,这一分布传达了关于模型对该输出的敏感性的一些信息。一些模拟模型开发环境(如 Stella)提供了一些自动化程序能评估模型输出对变量估计的敏感性。图 11-2 显示了使用出生率值 0.1(1)、0.2(2)、0.3(3)、0.4(4)和 0.5(5)时的人口的轨迹(来自图 11-1 的模型)。50 年后,预测的人口为 10 000 至大约 800 000。到 150 年后,人口的差别主要依据固定的死亡率。当包含许多变量时,用随机抽取的值对每一变量运算许多次,或者对每一变量进行单独系列的运算。

出于几个方面原因,敏感性分析是重要的。首先,它们正式评估模型判定的可能的未来的范围,能给出这些未来的概率分布。其次,通过确认那些最大地影响模型预测的不确定输入,有助于数据收集的有限资源的集中使用。

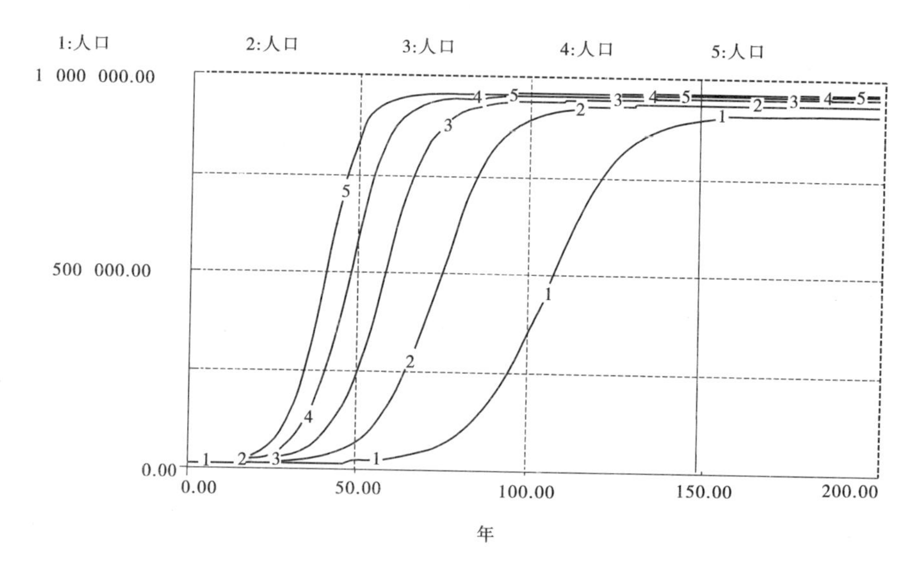

图 11-2　初始人口敏感性分析

第 12 章　模型评价准则

迄今为止，本书已经描述了涉及水文和生态学的流域建模方法、根据不同学科传统而开发出的已有模型、模型创建和应用的不同途径，以及建模成本和收益。书中虽然已经列出了许多模型和建模环境，并粗略地加以评论，但还没有正式地评论它们。评价必须基于流域管理团体的特殊需求和约束。本章奠定了这样一种基础，利用它，管理团体可以根据本地的需要来评价模型和建模环境。

12.1　确定需求

模型评价的第一步是组成一个了解流域管理问题的强有力的团体，这些问题应能够帮助团体确定潜在的建模需求。

开发模拟模型的需求既包括了人和团体决策过程的机制，也包括了在流域内运转的自然和人类系统的有关动态。我们首先考虑人类决策成分，然后进一步研究科学需求。

在大量动用时间、精力、财力等资源之前，彻底地确定需求是很重要的。记住开发地理信息系统数字数据库和阐明土地与流域动力机制都是信息形式化的过程，因此就必须评价针对信息形式化的需求。如果某一市民团体整体都同意某一决策，那么就无需扩展资源，以支持这一共识。假设一个流域情景，如果流域管理的所有参与者都认为定量配给化肥(或者通过地方性补贴使化肥更容易得到)是适当的和必要的，那么就已经达成了政治共识，而用于巩固这一共识的任何资源支出都是浪费。但是，如果群体内有严重的分歧，那么就需要进一步考虑这些问题，找到可行的解决方案。形式化了的流域建模通过以下三种基本方式发挥作用:第一，它提供了一个各个派别相互交流的焦点，通过交流就可能达成一致，而无需真正实施建模;第二，它促使参与者控制情绪，利用逻辑和事实来支持他们的观点;第三，它鼓励在经济学、生态学、水文学和其他区域动力学的特定领域有着深厚知识的科学家参与进来。如果这个团体同意使用建模，就要首先确定通过建模可以提供给团体决策的需求。什么层次的建模才能实现这些需求呢？也许单个的土地或者流域概念模型就行——通过对话和共同的经验，它们被转化为团体，也许是更大的社会群体所拥有的概念模型。或许，那些可选管理方案的后果都已被充分理解和接受，但是由于价值取向的不同，并不存在最佳选择。在这种情况下，折中平衡分析可以帮助团体在多种方案中找到多赢的契机。最后，某一个团体也许会发现他们需要诉求到科学界，以对可选的管理策略做出公正和价值中立的分析。只有确定了团体的决策需求和有利因素，才能准确地定义建模工作。

当一个管理团体工作转向科学数据和模型时，必须确定相关的人和自然系统的主要特点，这从对决策或将要制定的决策的一个陈述开始是很有用的。本地区争议的议题是什么？一个团体能不能明确阐述一个或一系列问题？当回答了这些问题后，会有助于团体各成员意见达成一致。

如果通过流域模拟建模能够显著地推进在土地和流域管理方面达成共识,那么就应该确认并且着力于计划中的建模工作。一种重复的“分离—评价—集中”方案在定义建模工作中是很有用的,而且不会遗漏任何重要的组分。首先,从一个公认的观点开始,即被研究的系统的各个部分在整个生态系统内是互相联系的,这样就可以根据所定义的问题,把系统划分为几个(例如,3~7个)子系统——大概这个团体会把水文、天气、动植物和经济划定为子系统。应确保所确定的子系统包括了整个系统的所有重要组分——再次集中到所建立的问题上。然后,根据每个子系统对处理问题的相对重要性来评价它们。删除那些表现出收益不足的子系统,以减少在这一地区实施进一步的模型开发所需开支。在每个子系统中重复这一“分离—评价—集中”过程,以鉴别更精细的细节,例如,一个水文模型可以被划分为饮用水质量、河岸侵蚀、洪水、农作物与野生生物所需水资源几个子系统。继续这个过程,一直到管理群体难以实施进一步的模型分离为止,留下来的模型组件就构成了模型需求的基础。例如,一个流域管理团体也许最终会选定以下模型组件:

- 经济增长;
- 社区对新的劳动力的吸引力;
- 鱼类和蚌类的健康;
- 土壤沉积量;
- 片状侵蚀和细沟侵蚀;
- 河岸侵蚀;
- 水鸟种群(量)。

是否考虑了饮用水的硝酸盐含量、农民的最优管理方式或者洪水都将形成挑战,因此管理团体应保持一个过程记录。该记录从考虑所有的情况开始,然后逐渐缩减到把建模目标和最后的候选模型组件连接起来为止。第8章第1节对这个过程已进行了更加详细的探讨。

12.2 确定建模的预期目标

使用模型时必须避免两个极端,二者都与不现实的期望有关。模型很容易因为没有用而遭到质疑,模拟错误和不确定性会被作为致命的缺陷而引起争论。模型真正的有用之处在于它是一种表达方式,通过它,某个人或某个团体可以正式地表明他们认为系统是如何工作的。这种声明程序将模型公之于众,以接受批评甚至嘲讽。如果没有模型可供检查,我们就只能遗憾地简化到辩论概念模型的结果,而概念模型是无法被参与者所共享的。谁对谁错的辩论成为逻辑和思想过程定型的必要条件,我们以此来证明自己的观点是正确的。通过把我们的思想过程、推断方式和自然界如何工作的概念模型公之于众,我们就可以坦诚地去严厉评价自己和别人的观点。另一个极端也要避免,模型开发者会把他们时间和精力完全集中到模型的定型上,以至于很容易认为模型真的就是现实事物的完全表达。模型会变得比现实世界更加现实?模型绝不可能是完整的,任何建立和应用模型的人应该记住两句名言:

● George E. P. Box:“所有的模型都是错误的,但有些模型是有用的。”

● Henry Theil:“可以使用模型但不要相信它们。”

模型开发的代价是什么？可以归结为以下几项法则。第一,模型越详细、越现实,建模的耗费就越大。例如模拟城市游戏[1]提供了很好的(虽然很普通)方法,让人们通过对住宅、建筑物、公园和商业用地的空间配置的管理,来体验诸如工作、人口、计税基数、犯罪、交通和健康等多目标之间的平衡。运转中的城市的各个部分之间的关系由不可见和未知的算法定义,它们可被用来增长经验,但却不能用于实际的城市和区域规划。相反,应当雇用计算机程序员来组装,或者编写针对当地的模拟模型。

第二,如果主要特征不遵守经典物理学的基本原理,建模的耗费就会增加。数个世纪以来,水的运动规律已经被较好地掌握,现代的水文模拟模型一般都基于一百多年前就定义了的方程中所表现的原理。对水的运动的理解基于两个假设——层流和稳定态,这在自然界中从来就不真实。方程的完整性要靠从经验性研究中提取许多经验数据和常数。水文模型有许多,而且只需要所关心区域的输入数据。小区域的生态过程建模不仅需要生成模型输入数据,也需要开发模型本身。第7章讨论了运用建模环境应对这一特别需求的方法。

第三,模型范围越广,耗费越大。集中于动态系统的一个小的部分的科学模型可以被应用于一个流域管理问题——如果只是关注那个问题的话,而流域管理包含了在相互冲突的目标之间达成平衡的决策,因而科学模型完全不够。为了支持管理决策,必须把相关的科学模型结合起来,一般来说,这耗费巨大。

总之,流域管理团体必须对建模在支持团体动态过程中的角色确立合适的期望,必须明白建模的耗费和实际的收益。

12.3 模型选择标准

假设你已经决定认真地考虑运用模拟建模的方法来辅助土地或流域管理决策,你已经要求全体成员去寻找潜在的有用模型和建模环境,而且,通过互联网搜索、打电话给软件发行人、与政府和大学的研究者交流、与同事交流,你们已发现了许多这类模型和建模环境。现在,你应该如何来评价这些可选的模型呢？下面列出了许多关键问题,并一一加以解释。

问题1:模型是用来支持什么样的决策的?

德克萨斯州胡德堡(Fort Hood)环境办公室主席 Emmet Grey 说:“不要给我任何我不打算在决策中使用的信息。”土地和流域管理者都明白这句话的重要性。他们的所有工作都与决策以及处理数据、模型、办公事务和个体成员有关。那些对决策无用的信息都意味着对时间的低效利用;而有用的信息或者可以被立刻使用,或者被添加到背景信息中以利进一步的决策。目前,大多数可用的流域模拟模型还是集中解决单一学科中的问题。因此,与模型相关的决策一般只考虑管理策略对水文、生态、经济、健康或美观性的影响,需

---

[1] SimCity,由 Maxis 开发—http://www.simcity.com/home.shtml

要确定模型能够生成的新信息并且判断这些信息是否对决策有价值。

问题 2:模型是否适合于研究区?

生态模型一般是为特定区域的应用而开发的,而水文和经济模型通常对研究区不敏感。预先就应确认,被考虑的模型是否适合于特定的地区和特定的需求。

问题 3:模型的当前情形如何?

模型是试验性的、公共软件还是完全商业化的?哪些人已经成功地使用了它?模型最新的版本发布于什么时间?修改漏洞和扩展模型功能时需要做些什么?通常,更有用的模型都处于不断的完善之中并且有一个用户群,而且也能提供用户支持。

问题 4:需要什么输入信息?

模型应用其数学和逻辑算法处理输入,以产生有用的输出。输入通常以本区域当前(初始)状态的形式存在,对于生态模型,也涉及到要适用于当地的行为规则。到底需要哪些信息,它们的格式和单位(常被忘记)是什么样的?开发、重定格式,以及(或)集成所需信息的开销有多大?为了制备这些输入,需要多长时间?具有专业技术的人选是谁?

问题 5:可以得到的输出是什么?

运用模型,就是为了产出用于决策的信息。模型将产出哪些信息?它们适用于决策吗?它们的形式在管理配置中有用吗?

问题 6:存在什么功能可以从不同的来源和格式输入信息?

大多数建模环境具有数据输入能力,以尽量减少制备输入所需要做的工作。对于空间显式的输入数据,确定系统具有重定格式、重新投影、数据内插和外推功能是很重要的。有什么可用功能可以从统计和电子表格数据格式进行输入呢?

问题 7:对模型用户的要求是什么?

用户必须有什么样的背景和技能才能成功运用模型?用户群有这些技能吗?这个软件只是偶尔被成功地使用吗?用户需要运行一段系统才能得到运转它的必要技能吗?通过检视模型的用户界面通常能够得到这些问题的答案。用户界面越完善,学习曲线越短;在线帮助越好,所需专门技能就越少。

问题 8:目标是哪种用户?

制定管理决策的土地或流域管理者需要有一个用户界面非常友好的软件环境,它可以简便地反映出可选决策方案的结果,产生建议方案,并且有助于在多个相互冲突的目标之间达成平衡。很少有模型提供了如此完备的功能,但这样的模型数量正在增加。这种界面也需要在后台完成制备输入和组装模型组件的工作。目前最常见的是这类系统,它们必须由技术人员根据管理人员的信息需求而直接操作。

问题 9:需要什么硬件和软件?

目前可用的模拟模型的硬件和软件需求很不一致。一些很不错的模型已经使用了许多年,它们运行于 DOS 环境;另外一些模型的 CPU 使用率很高,因此需要很复杂的超级计算机或者网络工作站。目前正处于开发中的大多数模型与微软的 Windows 操作系统兼容,只有个别模型需要比当前个人计算机更大的 CPU 功率和磁盘空间。

问题 10:使用软件的开销如何?

应该确定最初的开销,以及用于维护、培训和技术支持的开销。

问题 11:时间耗费如何?

安装系统、准备输入、学习系统和运行系统将花多长时间?

问题 12:有什么教育材料可供利用?

在线材料、文本、文章和源代码文档可供使用吗?是否有技术支持和培训?开支多大?

问题 13:设计的系统有预测能力吗?

设计的系统能够容易地比较、排序和对照预测结果吗?系统有没有建议可选的输入或初始状态条件,以便更好地符合用户的兴趣?

问题 14:软件支持协作吗?

流域管理要求在管理者、利益相关者、科学家、工程师和政治家之间进行大量的相互交流。支持多部门之间的协作的软件,将产生不同参与者更容易接受的结果。另外,某些模型开发需要交叉学科技术人员组成的工作组。软件是否支持不同个体或团队开发同一模型的不同部分呢?参与者在地理位置上可以是分离的吗?

问题 15:软件使用哪种技术?

软件技术包括确定性过程建模,经验建模,模糊逻辑,归纳推理,基于知识的推理、优化,模拟技术,随机过程建模,数理逻辑和其他技术。这些技术对决策团体是可接受的吗?

问题 16:水文模型支持水分运动的哪些组件?

水文建模是非常成熟的领域,在已有模型中可以找到许多不同的方法。流域是被划分为规则网格单元、不规则三角网还是简单地被划分为子流域?模型支持地表漫流、地下水运动以及河川径流吗?有没有考虑土砂的搬运和沉积?有没有考虑能量和动量守恒?模型考虑了水化学,尤其是氮、除草剂和杀虫剂吗?

问题 17:支持哪种建模?

根据用户和模型开发的阶段,管理团体也许需要做概念式的画板建模或者需要创建高度形式化的科学模型。希望未来的建模环境能够无缝地处理多种建模方法,但是当前,其功能通常只是更多地集中于正式的建模上。

问题 18:如何处理错误?

从科学模型过渡到面向管理的模型的主要挑战就是如何处理软件错误。科学家更能容忍简短的错误消息和意外的软件中止。错误的来源很多,也许仅仅是因为已知的输入或算法错误,管理人员就打算放弃一个模型。对于任何模型,能够根据对错误造成的影响和模型本身的不确定性的分析来计算输出结果的置信区间都是很重要的,但这在当前的模拟建模环境中十分少见。

问题 19:如何处理敏感性分析?

模型敏感性分析极其重要,应该将此功能提供给流域管理者。不幸的是,很多系统没有提供任何自动化方法去执行这类分析,而且有时候模型太庞大,以致现有的计算能力无法完成所需分析。退一步说,模型应该能被多次运行,每次对输入变量作些细微的修改,以测试输出结果对输入变量变化的敏感性。

问题 20:对于空间显式建模,用到哪些基本数据类型?

被获取的空间显式数据具有许多不同的基本格式。每一种数据类型都对应于多种复杂的格式,这些格式中有些是通用的,而有些是特有的。基本数据格式包括栅格、矢量、六边形格网、不规则三角网、点、线、网络格式等。不同栅格格式间的数据转换极具挑战性而且耗费很大,不同的基本数据之间的转换也平添了复杂度、不确定性和误差源。

问题 21:输入和输出的空间与时间分辨率如何?

输入和输出的时间与空间尺度是至关重要的。检查需求与你所拥有的数据源在时空分辨率方面应相一致。

问题 22:用到的生态尺度是怎么样的?

生态学家的研究工作集中在多种不同的组织尺度上,例如个体、物种、群落和生态系统尺度。如果你感兴趣通过不同的方案来规划一个地区的生物多样性管理措施,也许你会发现群落演替或物种演替模型都是有用的,但它们的输入要求极为不同。

问题 23:为了支持一个分析需要其他的什么模型?

有些模型,尤其是公共领域和大学开发出来的系统,是建立在一个或多个包括了程序和(或)软件共享库的软件环境之上的。有时,会把软件与其他独立产品捆绑在一起,这些独立产品支持电子表格分析、统计分析、可视化或者互联网发布。建模人员应该清楚地了解可以得到哪些隐藏的功能。

12.4 建模环境选择标准

在建模工作中,当已有模型无法胜任时,建模环境就最能发挥作用。如果在进行土地管理决策时,考虑的主要是水文问题,人们就最有可能全面关注水文建模。对生物多样性、群落演替,或者生境适宜性感兴趣的人们很难找到有用的、现成的面向管理的动态模拟模型。对于这类应用,我们应该求助于软件工程师或建模环境。建模环境包括了大量软件,它们都是最终模拟模型的一部分。理想的情况是,建模环境中只缺少描述待研究的环境系统的方程组,而基本的用户界面、数据输入和输出、模型可视化,以及网络支持都应齐备。在这里,"建模环境"是个广义定义,包括从基本的软件编程语言到功能齐全的、易用的、不要求计算机编程技巧的图形用户界面。以下内容分为两个主要部分:即针对程序员的模型开发和针对非程序员的模型开发。第一部分讨论了一系列的软件工程问题,有些软件增强了软件工程师的开发能力,当评价这些软件时,就必须考虑软件工程问题;第二部分讨论了当评价针对非程序员的模型开发时,应考虑的问题。

12.4.1 针对程序员的模型开发

这部分论述有助于软件开发者高效开发模拟模型的软件,包括 DIAS(DIAS,1995年)、SWARM(Hiebler,1994 年)、MODSIM(Belanger 等,1989 年)和 HLA(DMSO,1996年)。

语言

对于软件开发者,最重要的就是与建模环境有关的编程语言。当前的主流语言包括

Visua BASIC、FORTRAN、C、C++和JAVA。建模环境可能还要用到其他的语言,有时也会用到混合语言,但不宜广泛采用。语言的使用也指编程思想,如过程式的、面向对象的,甚至陈述式的。

操作系统

虽然许多语言在任何操作系统下都可编译,但有的软件却被编写为只能使用某一种操作系统的一些特有功能。很多情况下,有些相似的功能是跨操作系统的。因此,应根据程序编译时所依赖的操作系统编写软件,以实现正确的系统调用。现在越来越多的程序都可以在运行时与其他软件进行通信。实现进程间通信的方法在各个操作系统中是不同的。

库

软件库通常是编程语言的扩展。公共领域和大学里开发的软件库本身依赖于其他库。通过软件库需求进行追溯分析,搞清依赖关系是很重要的——包括所需版本。

开发界面

编程语言一般并不伴有支持建模和模拟的专门开发界面,有时,专门的开发界面可以加快设计和开发过程。

吸纳已有模型的能力

模型的集成很重要,但是重新开发模型这种集成方式代价昂贵,而且割断了与原模型作者的联系。一些模拟模型开发环境具有吸纳已有程序的能力。集成已有模型的方式有多种,包括:将模型编译为一个单独的程序;用共享内存的方法使得两个或更多的程序通过共享的主存进行交互;通过网络交互使得两个或更多的程序在运行期间,甚至在不同的机器上实现相互通信。

面向对象、陈述、过程

软件语言可粗略分为以下三种。大多数传统软件所使用的语言,如FORTRAN语言和C语言,都是过程式的。程序员定义算法和过程,将它们应用于数据。面向对象语言通常也是过程式的,但更鼓励自含式对象的开发。对象反映了我们对外部世界的自然感知方式,它有一套特征,以内部定义的方法对其他对象的请求做出响应。面向对象编程方法具有显著的优点,它允许我们把这些感知过程映射到软件中。陈述式语言较少被采用,但它为某些软件开发行为提供了强有力的选择。陈述式语言允许程序员陈述或表明事实以及事实之间的关系。使用形式逻辑规则,陈述式语言允许为了推断而进行信息查询,这些推断来自于事实。

基于规则的人工智能、神经网络和遗传算法库

一些模拟建模环境带有各种支持人工生命研究的库。这类研究部分涉及到进化和认知过程理论,由神经网络和遗传算法所支持。这些库对于模拟高等脊椎动物的行为很有用。

进程间通信

传统软件是单独的程序。现在,出现了一些新的功能,要求两个或多个独立运行的程序(可能运行在不同的机器上)相互通信。这种方法的优点是,使得独立的小组或个人分别开发新的系统组件,而避免破坏已开发出的模块的完整性和安全性。多进程管理的开销是巨大的，但是目前已有了解决方案。

12.4.2 针对非程序员的模型开发

或许软件开发的主要工作就是促使非程序员与计算机软件和数据交互。就像艺术家拿着调色板站在空白画布前一样，拥有软件库的计算机程序员也具有创造出新东西的无限可能性。艺术家经过与客户协商，可以创作出满足客户要求和爱好的作品；程序员与用户之间也存在同样的关系。这种关系的缺陷是如果没有了艺术家或程序员，客户就不能创作出新东西。对于艺术家，一种选择是，先创作出作品的不同部分，其后由顾客拼出最终的图画。艺术家会画出各种不同的背景、家具、植物、动物以及不同姿态、不同大小的人，通过各部分的组合，客户可以很快拼出一幅画。当然，不是由艺术家最终完成的画不会像用户委托并由艺术家从头至尾完成的作品一样完美无瑕。但是，无需成为一个艺术家，客户却可以很快地组装出最终产品。模型开发环境是为相似的目的而开发的。程序员开发出一套通用的、可扩充的工具和组件，用户可用来创建最终产品。类似的例子包括字处理器、电子制表软件，以及内置了大量剪贴画的图形软件。

目前可供利用的模型开发环境实例有很多，而且数量在未来几年还会迅速增加。目前，可以利用一些不同的动态模拟建模环境来定制出一个模型，这类模拟环境包括STELLA❷和PowerSim❸。StarLogo❹和Ecobeaker❺是用于教学目的的空间显式模拟建模环境的实例。而空间建模环境（SME）功能强大，它可以依靠栅格GIS数据库的每一部分同步运行由其他软件（如Stella）开发出的模型。

以下是讨论评价面向最终用户的模拟建模环境时，要考虑的事项。

用户界面

面向最终用户的软件产品中可视化程度最高的组件是用户界面。面临的挑战是如何开发出一个能在以下目标间达成平衡的界面，这些目标包括：满足广泛用户的需求；提供短的学习曲线；适合于不同复杂度的使用方式；能迅速满足用户的当前所需。

模型的分层视图

在商业环境中，每个人所考虑问题的细致程度是与他在整个分层组织中的位置有关的。许多人通常处于这个等级，他们非常关注产品的开发、安装和支持的各个细节。组织的管理者必须考虑如何雇用、组织，以及监督人员。组织顶层的人必须有长远目光，进行战略决策，避免卷入到产品的细节中去。同样，在模型开发中，应当以不同的详细程度来审视模型。例如，整个模型的描述应当直观地放在一页界面屏幕上。一个完整模型会有很多模块，模块又包括子模块等。最后，位于最底层的是详细的过程软件命令，它们必须被软件轻易地捕获和显示。

单位追踪

正如任何学习代数的学生所知的，如果不追踪单位，我们可能会毫不知情地陷入严重

---

❷ 高性能系统公司—http://www.hps-inc.com/

❸ PowerSim—http://www.powersim.com/

❹ StarLogo—http://StarLogo.www.media.mit.edu/people/StarLogo/

❺ EcoBeaker—http://www.ecobeaker.com/

的麻烦中。如果不同的探测器开发小组使用不同的单位，空间探测器就会丢失，必须在模型的不同组件中追踪单位。作者还未见过一个自动进行单位追踪的建模环境，用户只能自己完成这个任务。

对细节和处理时间的用户限制

通常，一个模型越复杂，它的预测能力就越好，所需处理时间也越长。理想的情况是，建模环境应该允许不同的细节等级。如果用户很想得到一个快速的粗略答案，就没有必要花费很长时间去运行复杂的系统。

系统回溯

有没有可能在一个模拟运行到终点之前，在时间上倒回去，然后琢磨一下计算下一步的规则和算法。有时候模拟模型在每一点上显然都运行得很好，但是输出却出了问题。为了理解模型以及可能的模型修正，按照用户所设定的时间，在模拟过程中追踪模型的运行是很重要的。

模型组件能否找到平衡点

例如：承载力数量、演替阶段、合理的增长、Nicholson－Bailey 方程、Lotka－Volterra 方程、Rozenzweig－MacArthur 方程以及 Leslie 的食肉动物掠食模型。

支持生态过程的多系统等级

系统是否支持发生在多种时空尺度上的生态过程？等级理论中一个基本的观点就是不同的过程发生在不同的时空尺度。如果采用了最大的时空尺度，就最有可能准确地表达过程模拟。

支持多尺度

应确保可以同步模拟多种时间和空间尺度，不同的过程发生在不同的时空尺度。有时，最好只模拟系统中较小的组件，但有些时候组合起各个组件和过程才会更有效，效率也更高。合适的尺度选择取决于所提出的问题。

允许任何给定的模拟要素改变它当前的时空尺度

在生命的一定阶段或者一天中的某个时间，不同尺度的生物和非生物过程可以被更有效地模拟。例如，兽群的移动，可以在迁移期间以较短的时间间隔和空间尺度来得到最好的模拟。另一个例子是，与流域内或跨流域的水运动有关的过程在干旱季比湿润期和过渡期相对较慢。

支持对过程内的过程的描述

有时，组合生态系统的各组分显得恰如其分，而有时（或对其他人来说），减少对基本要素的模拟又显得很明智。对于后一种情况，重要的是用简化了的模拟来表示整个系统。例如：在模拟过程中，有时把一个兽群模拟为群体，有时却模拟为个体。

不要强定生态层次

例如，允许生态系统存在于个体之中，也允许个体存在于生态系统之中。

明确流域要素的异质性分布

必须尽可能明确并能模拟流域内各种格局的变化。在任何给定的时空尺度上，一些过程和流域要素最好被模拟为流域内单一的同质过程或实体（例如天气），而模拟其他要素时，必须考虑其异质性分布（例如坡度、高程、河流、植被群丛）。

景观斑块间的运动

应该考虑动物、化学物质，以及信息在斑块间的运动。

斑块的变化

景观斑块应能够产生和消失，并且能在任意给定的方向上增长和消退。

分析异质性流域的能力

生态要素对流域格局的响应可以通过对格局内其他实体的强力模拟来实现，模拟中应使用很短的时间间隔，也可以通过对有关流域格局的知识的单一响应来实现。这种对策来源于渗透理论。

对单独实体的模拟

目前流域管理模型还不能模拟单独的实体，人工生命研究人员在软件开发方面取得的进展显示了这方面的潜力。

允许系统要素学习和演进

在人工生命系统中，模型组件可以学习和演进。在流域管理中，演进并不是一个重要的因子。然而如果考虑到智能动物，基于学习的行为模式演进就很重要了，虽然目前还很难真实地模拟自然界。

利用已有的模拟模型

在模拟模型的研究和开发方面已做了大量工作，产生了许多优秀的模型。在可能的情况下，应优先考虑通过模型集成来利用这些完整的模型。

支持流域中水的运动

流域中暴雨洪水的运动对于建立针对某一地区的侵蚀和土壤水分含量模型至关重要。

支持河网内的水运动模拟

一旦水成为河川径流的一部分，对河川内水运动特点的模拟就成为预测洪水事件的关键。

考虑亚地表层水运动

在很多地区，蓄水层中的水运动对于预测地上植被和动物群落至关重要。

支持侵蚀、沉积和化学迁移

在某些时空尺度上，水流中的大量物质迁移对于大系统至关重要，在另一些尺度上，在不同类型、质地、化学性质的土壤中的化学物质迁移发挥重要作用。

支持对单株植物和树的模拟

JABOWA 和 FORET 类型的模型侧重单株植物对周围个体的存在与状态的响应。这类模型发展完善，任何通用的流域模拟中都应该具有这种功能。

考虑对火的模拟

对火的模拟，其尺度既要反映出每分钟火的行为，也要反映出可燃物随年代的变化，还应模拟火情发生的随机性，以及火对流域景观结构的影响。

允许个体建模

森林模型中的 JABOWA 和 FORET 模型族可以在单株树的尺度上模拟森林动态，但是，在生态模拟中，很少看到对离散的移动实体的模拟。一个值得注意的例外是，通过模拟车辆的预先运动而预测军事训练对流域的影响，这是由澳大利亚联邦科学与产业研究组织(CSIRO)报道的(Cuddy,1993年)。此处应指出，预测个体动物的行为应是一项核心工作。

本章提出了一些在流域或流域管理应用中选择模型的准则。最重要的是，首先应定义和搞清建模的需求和预期。本章的叙述为选择模型或建模环境奠定了基础。

显而易见，评价模型和建模环境费力而又困难，而且随着模型和建模环境的发展、更新，甚至退出舞台，任何对它们的评价也会在几年内随之过时。在不同的流域内，由于需求和限制条件的不同，也使得模型评价难以具有普遍适应性。本章概述了评价模型时应考虑的一系列问题，而本书为读者列举了大量模型。在书后的附录中，列出了一些互联网资源，从那里可以得到相关模型的有关信息。

第Ⅲ部分　集成的流域建模与模拟展望

在第Ⅱ部分作者表明了这样的观点，即目前正是将动态的空间显式模拟模型应用于流域和流域管理的良机。事实上，这些模型都派生自科学模型，而且是针对某一特定学科的，它们的目标是帮助科学家理解地表漫流、河川径流、植被（自然和农业）生长、天气、气候和植物演替等自然现象。如果科学允许只有一个或很少几个变量响应于实验设计，或者充分的数据允许统计学去发现显著的相关，那么自然的秘密就会被揭示出来。但典型的情况是：对于特定的空间和时间尺度，每一个作为实验或统计结果的模型却只能模拟所有重要过程的一些方面；更难如愿的是，几个运行于不同尺度且专注于不同侧面的模型的输出结果是不容易被结合起来的。于是，当前的挑战是以某种方式集成几个不同的模型，使它们围绕单一的模拟时钟运转并且能够相互交换和共享信息。如果把模型连接起来，使系统中原本独立的组成部分相互作用，就可以大大提高建模真实性和全面的预测能力。

本书的这一部分讨论目前正处于发展中的流域管理建模方法。在第 2 章中，图 2-3 展示了一幅未来图景，即为科学家所开发的模型已经被集成到面向流域管理的模拟模型中。在第Ⅲ部分，第 13 章回顾了当前正在发展中的一些方法，它们的目标是以不同途径实现上面提到的远景。这些方法包括了为互异的模型集设置公共界面到创建全新的建模语言，后一种方法更能实现下一代多学科模型之间的紧密结合，第 14～17 章在一定深度上对这一点进行了概念化的阐述。其中，第 14 章勾画了集成的时空生态建模系统（I－STEMS），它或许是一种未来的地理建模系统（GMS）。I－STEMS 的设计目标是满足自然资源管理者的需求，他们期望基于不同的土地和流域管理方案、历史和当前记录，以及流域和人类活动与响应相互作用的规律，以预报各个时期的流域状态。

I－STEMS 将为最终用户，也即土地管理者提供用于建立土地管理决策支持系统的模拟环境。第Ⅲ部分以设计文档的形式写成，焦点是 I－STEMS 的功能，设计目标是满足土地和流域管理者的未来需求。全文这样展开，首先基于系统需求而总结出一套设计原理，这些需求已在前面章节讨论过；然后，分别从自然资源管理者、模型开发者和 I－STEMS开发者的视点，介绍了他们对基本接口方式的不同要求。

第13章 通向未来的模型集成之路

前面章节谈到，过去30年来针对流域模拟的建模能力已有很大的进步，但这些成果往往趋于学科中心化。目前，不仅有性能优异的地下水模型、地面排水模型、河水模型、蒸腾模型、植物生长模型和经济模型，也有极好的模拟模型开发环境。它们既支持程序员又支持非程序员。当前的挑战是对以上建模能力的同步应用，以应对复杂的多利益相关者和多学科的流域管理决策。有关大学和政府机构正在努力，目标就是要使流域模拟建模方法更易掌握、更实用、成本效率更高、更贴近流域管理者。本章反映了五种正处于开发阶段的不同方法。

(1)公共用户界面；

(2)科学模型集成于管理模型的底层；

(3)科学模型转换为管理模型的模块；

(4)新的管理模型；

(5)新的建模语言。

下面分述每种方法。当前最常见的模型集成方法可以被称为专职方法(图13-1)：当一位流域管理者打算使用模型来评价不同的管理方案时，他会找一位通常是受雇于州政府部门或大学的模型开发人员。后者选择他所熟悉的模型和建模环境来创建及运行针对某一特定地点的模拟模型。这一历史悠久的方法有它的优点与缺点。科学模型开发者首先就会强烈争辩道，好的建模人员就算是使用较差的模型取得的结果也会比外行使用优秀模型取得的结果好。在许多情况下，这或许是正确的，可能主要是针对模型用户界面质量的抱怨。可以用汽车作个类比，对于最早的汽车，最好的驾驶员是制造它们的工程师。因为要很好地驾驶车辆，不仅要有驾御油门、刹车、方向盘的知识和技巧，也需要懂得如何操作火化提前、油气混合和笨拙的变速器，甚至还能敏锐地感觉到发动机在不同温度和湿度条件下的工作状态、对不同型号汽油的反应，以及车辆在不同路况条件下的性能。大概代表当前技术水平的流域模拟模型也就相当于早期的汽车吧，它们由科学家开发，为科学

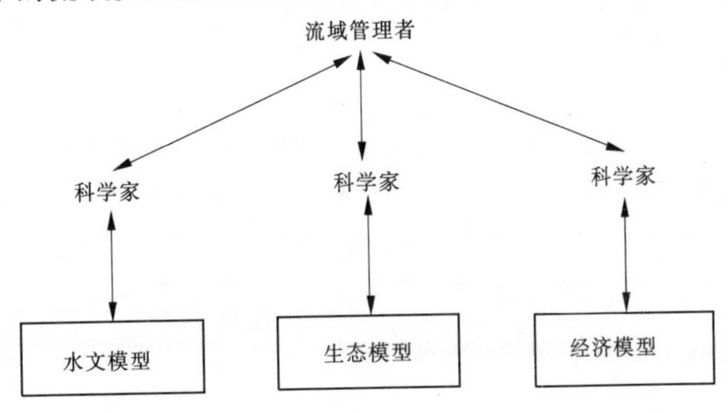

图13-1 模型应用于流域管理的一般方法

家所使用,而且需要大量的输入。这些模型的未来版本,就像汽车已经发展到了今天,将有着越来越复杂的用户界面,但用户选项却很有限,用户也许能“掀起车盖”动动其他变量,但极有可能看到“此处用户不可擅动”的警告。接下来的5小节将回顾和探索当前仍处于开发中的一些方法,它们都有助于建立对流域管理人员来说是友善的模拟模型。这些方法就模型开发而言是从易到难,就操作而言是从难到易。

13.1 公共用户界面

正如科学模型开发者所倾向的那样,公共用户界面方法是指把已有的科学模型集中放置在公共界面之后,由它逐个调用(图13-2)。模型的输出被自动重定格式,以实现模型之间顺畅的信息传递,而用户通常无需了解在界面之后被执行的单独程序。20世纪90年代以来,最通用的商业GIS软件都采用这种方法集成。公共用户界面和公共数据库使得大量的独立程序像一个集成系统那样运行。

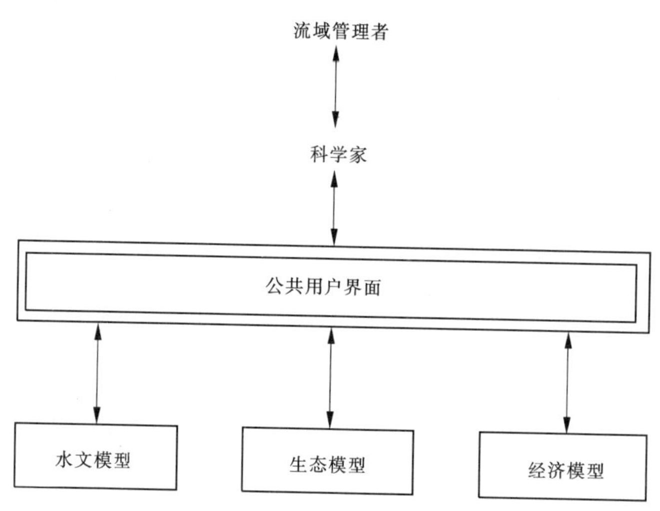

图13-2 公共用户界面下的模型集成

最初的GIS用户界面由一系列命令组成,通过在计算机终端上键入命令行而实现。如果需要执行一系列操作来完成一个多步任务,就可以创建脚本程序或批处理文件。图形用户界面(GUI)出现后,命令行被图形按钮和提示符等更高级的交互方式所取代,有些时候,已经看不到最初的命令行方式了。使用图形用户界面,一个操作的全过程是由用户逐步执行的。为了使GUI也具有完成多步任务的能力,就要进一步发展GUI,使它能够可视化地链接一系列操作,把它们组织成一组可重新调用的指令。图13-3是这一方法的图示:GIS用户把地图输入和GIS操作(椭圆框)组装在一起,生成临时地图和最终输出。这种方法已经在Khoros系统❶、ERDAS图像处理系统❷、GARSSLAND地理信息系统❸,

❶ Khoros—http://www.khoral.com/
❷ ERDAS-http://www.erdas.com/
❸ GARSSLAND—http://www.globalgeo.com

以及新近的 ESRI[4] ArcView 3.2 模型构造器中得到了应用。

美国陆军工程兵团也成功地使用公共用户界面方法集成了一些成熟的流域模拟模型,开发出一套模拟建模系统。这些系统包括地下水模拟系统(GMS)、地表水模拟系统(SMS)和流域模拟系统(WMS)[5],它们各自都使用公共用户界面,将数量不断增长的模拟模型协调起来。在这些系统中,用户输入和准备 GIS 与表格数据,然后数据被自动重定格式。因此,用户就能使用相同的界面执行那些成熟的模拟模型。当前,以上系统还没有采用图 13-3 所示的 GUI,但已制定了实施计划。

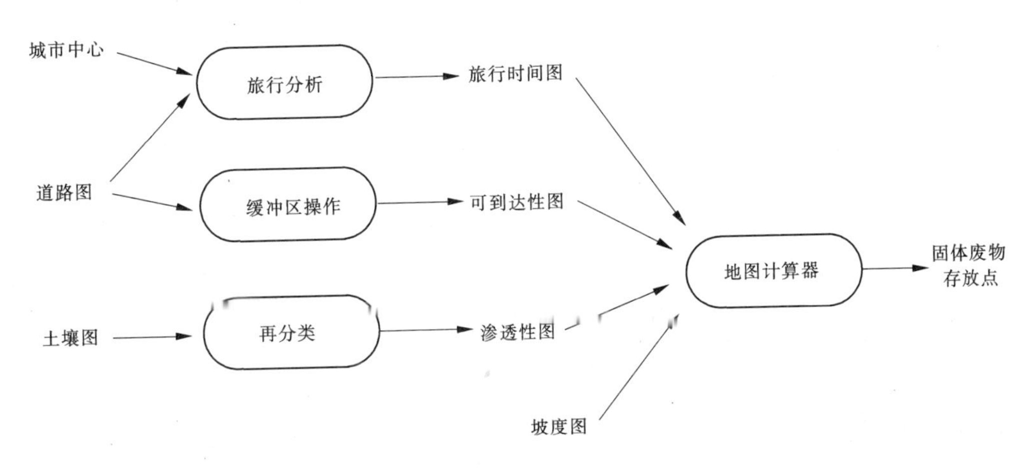

图 13-3　过程连接的图形化建模环境

13.2　科学模型集成于管理模型的底层

上一节介绍了公共用户界面方法,这种集成方法虽然使得模拟模型更加好用,它还是不能充分吸引流域管理部门的目光,因为即使这些模型有着精美一致的用户界面,它们仍然只是适合于科学家和工程师们使用。流域管理者以完全一体化的眼光看待社会、经济、水文和生态之间的联系。因此,他们需要的是一个能够在考虑以上因素的基础上检验各种方案的决策支持系统,而模拟模型并不是天然地适合于被作为决策支持系统,只是可以为后者提供信息。应该为流域管理者提供这样的决策支持系统——他们在幕后调用模拟模型,或者由那些运行模拟模型的科学家对它们进行参数化(图 13-4)。简单参数化模型是通过对那些非常复杂的模型的输出结果进行分析而建立的,它的功能同其他模型一样非常强大,当一个管理问题摆在面前的时候,参数化避免了运行复杂模拟模型的巨大开销。

许多复杂的、学科中心化的模拟模型既可以运行在管理人员的本地机器上,也可以运行在局域网或广域网上。当前,一些用于远程连接模拟模型的研究产品已被开发出来,还

---

[4] ESRI—http://www.esri.com
[5] GMS,SMS and WMS—http://ripple.wes.army.mil/software/

有一些正在开发中。例如，WebFlow[6]和 Legion[7]允许模拟模型注册自己，然后通过远程请求就可能操作这些模型了。FRAMES[8]则通过远程机器上的 GUI 实现多种基于Internet的模型和本地模型的集成。

这种方法和“公共用户界面”方法，都试图只对已有软件做很少的但必要的改动，以保留它们被公认的特质。其主要的好处是可以汲取那些已有的、被公认的模拟模型的精华，尽量减少修改原软件所带来的开销，并延续模型的发展脉络。但有时，必须接受一些大的代价，因为它们会严重限制最终结果的采纳。第一，原模型并不是为相互协同工作而设计的，它们使用不同的数据定义、不同的时间和空间分割方法。虽然它们往往以本学科为中心，但却会模拟系统中“属于”其他学科的成分。例如，一个水文模型中可能包含一个简单的生态模型，或者一个生态模型中可能包含一个简单的水文模型。将水文主模型和生态主模型缝合起来需要对原来的两个模型都进行修改。第二，将那些仍在开发中的系统纳入集成环境就意味着不得已而采用了系统的某一特定版本。当系统的输入要求和(或)输出格式有所变化(甚至很小)时，集成人员都需要根据新版本再次做必要的调整，而维护工作的挑战不仅耗时且不一定能够完成。第三，模型的这种组合方式一般需要顺次执行模型，但如果模拟模型不断改变其他模型作为(在启动时)固定状态的条件，这种方式就不适宜了。为了减轻这一问题，可以轮流运行模型。这样，一个模型的输出可以更加适时地输入到其他模型中。由于模型被反复启动并且从硬盘上读写状态信息，这种交替控制会显著降低计算效率。

在 21 世纪早期，流域模拟模型开发者努力的焦点将始终集中在上述集成方法方面，因为它只需对已有软件做很小的改动就能继续使用它们。同时，它也改善了传统的学科中心化软件的集成度。

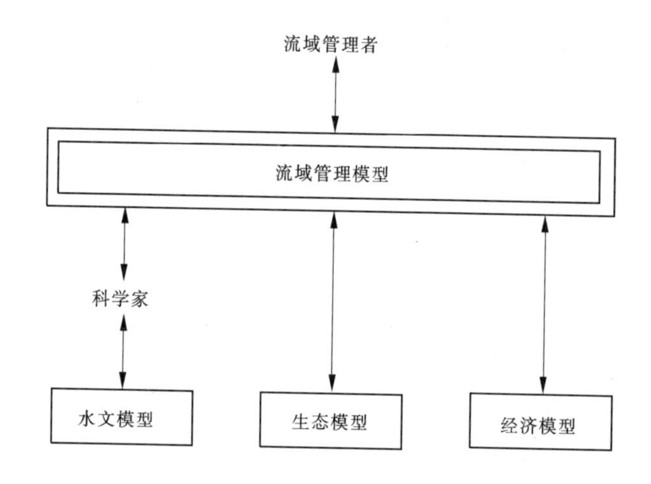

图 13-4　科学模型集成于管理模型的底层

---

[6] WebFlow—http://osprey7.npac.syr.edu:1998/webflow/
[7] Legion—http://www.cs.virginia.edu/~legion/
[8] FRAMES—http://mepas.pnl.gov:2080:2080/earth/earth.html

13.3 科学模型转换为管理模型的模块

或许需要一种更彻底的方法以应对前一节结尾处所提及的挑战。在这种方法中，已有模拟模型的用户界面和数据输入被舍弃，并且采用多个模型同步运行的公共执行环境。模型被转换为模块，成为子程序或者有可能运行于网络环境的单独进程(图 13-5)。

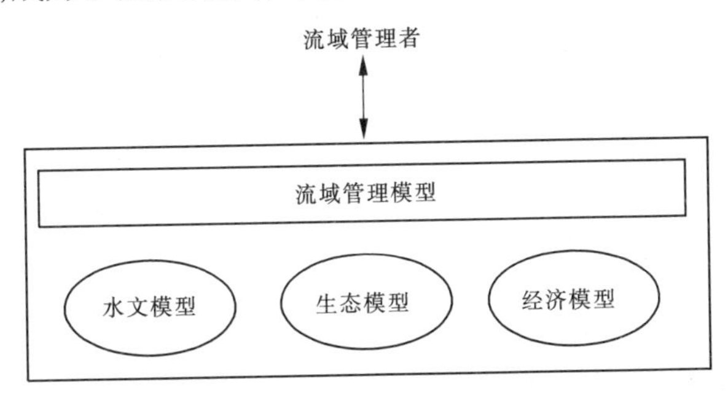

图 13-5 科学模型转换为管理模型的模块

美国地质调查局开发的模块建模系统(MMS)[9]，就通过子程序级别的集成实现了流域过程紧密耦合的需求。从根本上而言，MMS 是一套相互匹配的子程序，它们可以被一起编译，以表征一个特定流域。这些子程序被称为模块，分别描述降雨、蒸腾、地表漫流、地下水、日射、蒸发、融雪、河川径流和森林生长。为了轻松地把模块组装起来描述感兴趣的流域，MMS 的 GUI 允许非程序员确认重要过程以及它们相互之间的交互方式。例如，天气模块产生降雨，降雨又与地表漫流模块有关。后者模拟出的水流进入河川，再流向水库和其他河流。模块的集成是通过对数据定义和数据交换格式的严格控制来实现的。

几十年来，美国国防部(DOD)也开发出战场和战区模拟模型。高级架构(HLA)[10]是他们最新的尝试，其目标是让那些使用不同资助建立起来的模拟模型协同工作。正如 MMS，HLA 也需要模拟模块遵守共同的数据定义和数据共享格式，但它更进一步，它允许不同函数在一台机器或网络上的多台计算机上执行独立进程。在运行时间，相互协作的模拟模型(统称为模型联合体)通过运行时间基本结构(RTI)实现而相互通信。HLA 是这样一种架构，它规定联合体中的组件模型如何从其他模型请求和接收信息以及 RTI 如何提供主信道，RTI 如何实现通信则不被特别指明。因此，可以预想未来 10 年内会不断开发出高效的 RTI，而完全不需重写组件模型。每一联合体必须符合它自己的对象模型，也即联合体对象模型(FOM)。开发者开发 HLA 的雄心勃勃，它汇聚起在战场和战区模拟建模方面的巨大军方投资，主要用于支持这项高投资的事业。

HLA 的前身是国防部的分布式交互模拟(DIS)环境。为了改进 DIS 存在的缺陷，研究人员受到资助开发出国防部的模拟模型，并最终由总部级别的努力导致了 HLA 规范的出现。研究人员级别的项目之一也曾产生出一个拟选方案，称为动态信息架构系统

---

[9] MMS—http://wwwbrr.cr.usgs.gov/mms/
[10] HLA—http://hla.dmso.mil/

(DIAS)[11]。它由能源部的阿尔贡(Argonne)国家实验室开发,已被成功地应用于流域模拟模型开发和商业建模之中。正如MMS,在DIAS系统内,模拟模块的数量正不断增长,这些模块可以被编译在一起来模拟特定的流域。又如HLA,DIAS也允许系统内自己有软件的模拟模型作为独立进程(或许跨网络)运行,并且加入到一个新的模拟模型中。前面第6章已经讨论过DIAS。

虽然DIAS方法需要一部分模拟模型开发人员付出努力,重写他们的模拟模型,但它产出了好得多的面向管理的模拟模型。这种方法的不足之处在于:即使在重写了已有模型,使它们运行于DIAS这种更紧密的集成环境中之后,模拟模块中依然会存在由数据定义、内部数据格式、通信中的低效率所造成的问题。

13.4 新的管理模型

从计算机科学的角度,最彻底的集成方法是从头开发新软件。从底层集成避免了软件之间接口的复杂性,这是因为不同软件是在不同的时间和地点、使用不同的语言和方法开发的。地理信息系统的开发就采用了从底层集成的方法。在集成化的GIS出现之前,许多单个的空间分析程序是使用不同的计算机语言、数据格式和编程方法开发出来的。当开发人员写出众多使用公共数据库格式、公共的数据存取与操作子程序、公共和一致的用户界面的程序之后,才出现了通用的GIS。当前的挑战是建立一个用于开发大量集成化软件组件的公共开发环境。

公共环境的基础是一种编程语言。理想的状况是某一系统中的所有软件都用同一种语言编写。可是,要就使用某一种语言达成共识是困难的,众多计算机语言的存在就证明了这一点。相对不严格的法则是:只用一种语言开发出核心的应用程序接口(API),但要为若干种不同语言提供接口。

集成的流域模拟建模系统不仅需要公共的用户界面和数据库格式,也要把握好模拟时间。在集成的模拟建模环境中,只有各组件共享公共时钟,交互运行的流域各系统才能在整个模拟过程中保持同步。第7章曾讨论过的SWARM[12]和空间建模环境(SME[13])都是符合上述标准的实例,它们都考虑到了应该围绕着一个统一框架开发出新的模拟模型代码。SWARM基本上是用C语言写的一组对象,这些对象提供了公共的模拟建模范例、用户界面、模拟时间管理和运行时间可视化。一些机构也开发了SWARM相关类(对象)库,并且把它们返回给SWARM发布中心,使得后者进一步扩展了用于建立新的模拟模型的基础软件集。运用SWARM,对象C程序员只需关心开发出能够表达被模拟系统状态和动态的软件。SME同样是一个设计和开发空间显式模拟模型的公共框架,它也提供了公共的模拟时钟、控制与显示模拟结果的公共用户界面,以及一套详尽的模拟建模范例。MMS(本章和第6章都曾讨论到)也提供了一个设计和开发新的模拟建模组件的公共环境。

---

[11] DIAS—http://www.dis.anl.gov/DIAS/
[12] SWARM—http://www.santafe.edu/projects/swarm/
[13] SME—http://kabir.cbl.umces.edu/SME3/

13.5 新的建模语言

新的建模语言方法衍生自“新的管理模型”方法。由于各个学科相互隔绝已久,它们都开发出了自己的语言程序,并且应用于各自的模拟模型开发。基于多学科背景而开发的集成模型,除了要应对纯粹的计算机科学中语言和方法的挑战外,还面临语言(范例)上的其他复杂性。科学家们已着手开发标准化的建模语言,它应是自动集成在过去学科的传统范例体系下发展起来的模型。马里兰大学组织开发的集成建模架构(IMA)[14]就是一次开发新语言的尝试。他们的目标是开发出一种扩展标记语言(XML),它允许不同学科的建模人员使用熟悉的本学科语言建立针对本学科的模型。虽然每一学科都有学科中心化的开发环境,但它们生成的模型却通过基于 XML 的公共语言的解释而成为可自动连接的模型。

本章概述了不同的模型集成方法,21 世纪早期的模型开发者将运用它们寻求解决方案。流域管理人员可以期待的第一项成就将基于相对简单的集成方法,即把模型输出格式自动转换为其他模型的输入(图 13.4)。重定格式方法使得那些目前还在运转的学科中心化模型继续运转,保证了它们的完整性,也相对较易实现。美国环保局的集成的点源与非点源改进评价(BASINS)软件以及美国陆军工程兵团的土地管理系统(LMS)就采用了这种方法。作者期望这一解决方案能够使得以流域管理为目标的模拟更易为人们所接受,更期望采用图 13-5 中那种更紧密的模拟建模方式把系统中的不同过程紧密连接起来。对于管理问题,可以假定在许可的时间范围内,简单集成方法完全可以完成一个模型(如:水文模型)的运行并把结果输出到其他模型(如:农作物、生境和河流生态系统);然后,这些模型的输出可以被输入到另一个模型(如:经济模拟模型)。对于重定格式这种粗糙的方法,管理人员将不得不在概念上区分以上步骤(运行—输出—格式转换—再输入)。而在接下来的几十年里,学术界除了认真考察粗糙方法的有效性之外,还将触及那些系统中不同组成部分(如:水文、生态和经济)同步运行,而每一部分都不断更新着系统总体状态的精细方法。第 14 章将明确指出下一代面向管理的模拟建模软件环境的基本特征,之后的第 15、16、17 三章从管理人员、模型开发者和系统设计者的不同角度考察这一系统。

---

[14] IMA—http://swan.cbl.umces.edu/~villa/IMA/

第 14 章　设计原理

无论从哪一方面讲，软件环境的设计和开发都是一项复杂的任务。这一章介绍一个假定系统的设计概念，这里称该系统为集成的时空生态建模系统（I－STEMS）。为此，需要了解、考虑并讨论若干设计目标。这些目标必须由具有学科交叉特点的联合小组来制定。小组成员应包括：最终用户、生态学家、经济学家、统计学家、模拟专家、数学家和计算机程序员。请注意，在这些人员中，把计算机程序员列在最后并不是说他们不重要，而是为了指出在软件开发项目中被忽视的其他人员的重要性。下面的章节分别叙述关键的设计目标和原理。

14.1　采用当前的生态、经济和管理理论

I－STEMS 的目标是集成，而不是一次重新发明的练习。对于一个支持生态、经济和管理等系统组件的模拟软件，集成尤为重要。I－STEMS 被设计为一个代表最新技术发展水平的土地管理工具。因此，它必须认可并采用目前行之有效的理论。尽管新理论、新概念和新思想层出不穷，但是土地管理者仍然在依靠那些建立在已被证明有效的成熟理论之上的系统。虽然 I－STEMS 可被用于测试和开发新理论，但是它的核心任务是应用那些已被证明有很强的预测能力的概念和思想。根据前面第 3 章讨论的生态理论，建议采用以下开发原则：

●提供对单个实体的模拟。

●允许系统组件去学习和进化。

●模型组件的响应不遵守任何预定义的平衡状态。

●考虑到对出现在不同时空尺度下的生态过程的模拟，并且保证可以同步模拟多级时空尺度。例如，基于栅格的流域模拟的空间分辨率是 100m，时间分辨率是 1 周；而动物个体模型的时空分辨率分别是 1s 和 1m。

●允许任一个给定的模拟组件改变它的时间和空间尺度。空间建模环境（SME）模拟的方法确定了时空的尺度，但是基于动物的模拟环境的设计应该提供动态选择尺度的机会。

●能够捕捉到过程内的过程。

●不限定任何特定的层次关系。通用的模拟环境必须考虑到对一系列不同层次关系的模拟。例如，有可能需要模拟动物个体内的生态系统，以及生态系统内的动物。

●清楚地认识到流域组成部分的异质性分布。

●动物必须可以穿越流域，并且在不同地点会遇到不同的条件。

●系统集成的标准化。

14.2 使用现有的代码

I－STEMS 软件的开发过程非常复杂，必须循序渐进。以下尚存在争论的观点也许是正确的：通过重写代码、重新定义关键数据结构，以及使用现代软件开发方法（例如："面向对象编程"），软件会得到改进，但时间和资源上的限制通常不允许大批量的代码重写和系统集成。在任何多级系统内，都有一些组件因其运行良好而且可靠而被保留下来，尽管它们不是特别的高效和精美。个别开发者和设计者可能会对保留这些组件感到很不舒服，但由于重新开发的代价超过了重新设计所带来的好处，它们得以继续出现在软件的新版本中。这个观点对于从小型到很大的系统组件都是适用的。系统集成必须把某些单个的系统作为不变的整体和完整的单元来接收。原作者之外的任何人对代码的修改都会降低原作者在将来出现问题时的排错能力，这些问题可能含有系统其他部分的错误。产生错误的原因其一是修改前的代码片断对某一种特殊行为的依赖性；其二是其他代码没有类似的升级，因此难以开发出集成代码的未来版本。进一步的讨论参考 Frysinger 等（1993 年）的著作。

14.3 尽量减少特定模块的作者

软件开发的各个环节互相联系，不同阶段开发出不同的部分。这意味着，有些部分已经完全写成了，而其他部分还没有被系统地思考过。另外，软件用户总是要求软件能完成的功能比它的开发者设计的功能更多，写得好的软件应该考虑到这一点。在支持大量用户群体的商业环境下，使用完整的文档记录软件背后的想法、概念、目标、算法和假设十分重要，目的是提高那些对原来的代码陌生却又被指派去修补或改进软件的人的工作效率。反过来，在研究环境下，用户群的缺乏使得在给定的时间内有可能进行更多的实验，开发出更多的软件。在这种环境下，试验和开发比拥有完好的软件更重要。为了弥补技术支持文档的缺乏，软件部件的原作者在尽可能长的时间内保留对这些部件的控制就变得十分重要。也就是说，如果需要修改或升级软件，应该把这个机会提供给原作者（他掌握着需要修改或升级的代码的概念、算法和假设）。如果不能通过完整的文档或紧密的合作得到共享原作者知识的好处，那么，第二作者对软件的修改就会导致既不被原作者也不被其本身完全理解的产品。在这种情况下，对于被指派进行修改或升级软件的第三作者，他们简单地决定完全重写整个模块就并非不寻常了，因为他们认为重写比花时间理解原作者和第二作者的想法效率更高。因此，对于研究环境，在软件文档齐备之前，让原作者"保留软件所有权"是很重要的。如果完整的文档最终出现，那也通常是在相关的项目将要结束之前。

14.4 采用已有的软件

已有的、经过锤炼的、信誉良好的流域模拟软件应被选到 I－STEMS 这个预期将要成长的软件家族中来。采用已有软件使得 I－STEMS 研究和开发组撇开其他问题，将精力集中到设计和开发上来。重新开发的工作方式的确也有它的优点：程序员能够更紧密地集成异构软件，可以优化算法以更好地发挥出某些硬件的性能，能够确保软件中各部分更好的一致性。但是，这些收益是以重新开发的高成本和失去与原软件开发者的潜在合作为代价的。而且将来出现问题时，用户不会去找已被弃之不用的原软件的开发组，而会把问题摆到新的开发成员面前。最后要提到一点，原软件通常已经有了一批老客户，他们对原软件的结果很满意，因而他们构成了新软件的新的用户群体。

14.5 一切模块化的设计

目前，软件设计和开发采用模块化方法，面向对象编程是如今首选的模块化编程方式。对于 I－STEMS，模块化在设计的所有层次上都是基本目标。系统将只依赖于数目不多的组件，而且大部分是可选的、可置换的、可与其他组件互换的，这些组件如何集成将依据特定最终用户提出的特定模拟。

应制定严格的标准，以保证不同 I－STEMS 开发组研制出的组件间能相互结合。如果打算把某一图形用户界面(GUI)用作多个子系统的指示器或控制器，那么就必须使用一套公共规范来开发这些子系统和 GUI。制定这些规范的出发点是：要使系统组件成为独立运行的对象，这些对象在网络上作为独立程序运行，同时凭借标准协议，通过跨网络的信息交换与其他对象链接。

14.6 允许分布式处理

动态的、空间的生态模拟模型会迅速变得十分复杂，超过单处理器计算机的计算能力。对于那些被集成在一起，处理实际的流域管理相关问题的模拟模型，能够使用许多可用的处理器是很重要的。这些处理器可以在单个机器中，也可以分布于一个异构网络中。分布式处理可以通过不同的方式来实现：首先，正如上面所说，I－STEMS 系统组件可以有效地成为独立运行的程序，并与异构网络中的其他组件通信。由于组件作为单个程序运行，就很容易被分布在多个处理器和计算机上。其次，一些将要开发的模块也用到了特殊的并行处理环境。

14.7 允许多层次接口

在设想中，应至少为 I－STEMS 开发三层用户接口(表 14-1)。I－STEMS 软件开发人员使用精心定义的应用程序接口(API)，这些接口包括所有标准化的系统对象、例程和数据交换方法，它们支持对已有的模拟组件的封装，以及新组件的高效设计和开发。模型开发者将使用 I－STEMS 模块，也即模型组件去创建针对具体地域的管理问题的模型，以用作流域决策支持系统。土地管理者再使用模型开发人员建立的模型进行风险评估、影响分析、土地管理技术和规划的改进。

表 14-1　系统接口的三个层次

接口层	功能	系统视图
软件开发者	把已有软件封装到子系统对象内;开发新的模拟软件模块	应用程序接口、作为独立程序运行的软件模块
模型开发者	为最终用户——资源管理者开发模型	系统组件库、配置文件、不同的指示器和控制器
资源管理者	根据任务目标管理流域	大量的模拟模型、模型之间一致性的接口

14.8　将模型组件设计为对象

I－STEMS将采用面向对象的软件设计方法。对象的设计和开发的成本高于传统的编程方法,用对象开发出的软件执行时间也很慢,但是,快速重组对象的能力弥补了这些缺点。由于每一个对象本来就是个自足的程序,它可以和其他对象结合而不用担心和其他软件的冲突。每一个对象对于其他对象而言都是一个“黑箱”,内部的操作是隐藏的,只显露出所需输入和可用的输出。

I－STEMS将为未来的建模人员提供独立开发出的模拟对象族,其中包括许多流域模拟模块,它们或许是对I－STEMS之前的模拟模型的对象封装。例如,这些模块将包含地理信息系统(GIS)操作、水文模拟、植物演替模拟和天气模拟。I－STEMS将是一个开放的软件环境,在其框架内任何研究组都可以自由地设计和开发附加的模拟模块。

模型和模拟的封装是通过严格定义的方式来实现的,这确保了每个模块尽可能地被其他对象所广泛识别,模拟模块的外观一致性则允许面向用户的可视化和控制对象的设计和开发。

这一章概述了下一代面向流域的模拟建模环境的设计与开发中所涉及到的主要设计原理。严肃的软件开发组将进一步改进和发展这里介绍的思想,以最终建立一个设计体系。这个体系将在管理者的需求和程序员的力所能及之间达到平衡。第15章开始从流域管理者的观点审度这个最终的系统。

第 15 章　流域管理者的视点

15.1　系统设计原理

这一章继续讨论 I－STEMS，首先描述当土地管理者使用这一模型时将遇到的情况。通过熟悉的 I－STEMS 界面展现在土地管理者面前的将是一组土地管理决策支持系统(DSS)，这些系统就是 I－STEMS 模型。其中，一些模型完成相对全面的，同时包括了流域过程各个方面的模拟；另一些模型则侧重于解决很特殊的管理问题。一个大的模型可以同时模拟发生在许多不同时空尺度上的流域活动，例如：代表濒危物种的个体的行为，较大种群的行为，人类活动(训练、伐木和娱乐等)，经济的影响，生物多样性的影响，火、疾病传播，遗传特征的传代等。

这些模型外观相似，给人的感觉也雷同，因为它们由同一个软件工具箱所构建。模型将通过一系列标准化的人机界面组件进行控制和浏览。一旦管理者对一两个特定的模型运用自如，对别的模型就自然而然熟悉了。

人类活动在各种不同的时空尺度上发生，并在任意尺度上与自然相互作用。在土地管理领域内，尺度的一端是防火救火，这属于对自然中系统崩溃和转变这类现象的响应，它们发生在相对较短的时间尺度上(几小时到几周)；在尺度的另一端，土地管理者却需考虑人类活动和规划是如何与长期的自然活动相互作用的，又如何影响到生物多样性、自然资源保护和全球变暖。I－STEMS 为在两个极端上建立模型提供了工具和功能性。

15.2　多种模型

一般认为，土地管理者最终会运用若干不同的模型来帮助他们管理流域。当然，对一个土地管理者来说理想的情况是，只用一个单一的模型就能在考虑所有重要后果的前提下评估任何土地管理的预想方案。让我们沉思“冥想”片刻，再来描绘这个理想系统。首先，我们有必要确定系统需要去评估的土地利用决策的类型，举例如下：

- 建筑、道路和其他土地利用的布局；
- 土地利用计划；
- 土地恢复的进度安排。

其次，我们确定土地管理者想要系统回答的问题的类型。以下各项涵盖了此类问题：

- 预测一季……十年内预期的土地覆盖；
- 预测和评估百年内预期的生物多样性；
- 预测考虑到环境代价后，流域内每一项活动的价值；
- 预测什么会对濒危物种产生影响；

●年内土地燃烧的潜在后果是什么；

●预测流域内与每一活动都相关的侵蚀的潜在后果；

●分析流域对火、疾病、风暴和洪水等干扰的抗性和弹性。

这些决策要求在一些不同的时空尺度上进行分析。在预期中，可能只发展少量的模型来应对一系列问题和目标，其中，每一个模型只关注发生在相近的时间和空间尺度上的过程。例如 I－STEMS 可能被用于发展以下模拟系统。

突发事件模拟与分析（ESA）

这一系统将着重点放在紧急情况下迅速变化的动态问题。它应具有以下子系统：

●野火模拟。

●化学渗漏模拟。

●风暴和洪水模拟。

尺度：

●时间步长：分钟；

●时间范围：天；

●空间分辨率：1 10m；

●空间范围：从次一级训练区到局地。

这些模型将被环境部门人员所使用，以帮助指导对意外情况的紧急反应。ESA 可能会从 ISSIS（见下文）中提取流域的当前状态以初始化一个模拟。ESA 也可能被用于模拟紧急情况的可能后果。

基地周期性模拟及信息系统（ISSIS）

作为一个军事基地管理软件，ISSIS 或许会提供一个模拟环境，它会被日常用于：①跟踪流域的当前状况；②预测当前季节内的流域状况。

尺度：

●时间步长：15min 到 1d。

●时间范围：1 年到几年。

●空间分辨率：10～100m。

●空间范围：局地。

输入：

●牧场控制部门的输入。

训练计划；

组织和设备表。

●环境部门的输入。

土地恢复；

影响模型输入；

流域健康的量度。

输出：

●土地覆盖预测；

●每一项训练练习的环境代价；

●预期的侵蚀的潜在后果；
●各种可能计划的比较；
●对濒危物种和濒临危机的栖息地的预期影响；
●所选物种的生境适宜性指数的变化。

开发这一系统是为了让环境和牧场控制部门的人员使用。每个部门应负责管理某些输入，而任何部门都能利用 ISSIS 预测流域不久的将来的状况(1 年)。ISSIS 在日常使用中需要与其他管理系统接口，比如：当地的地理信息系统(GIS)、草场设施管理支持系统(RFMSS)等。

集成的区域效应模拟系统(IRESS)

这个假设性的模拟模型将关注土地管理模式造成的长期(几年到几百年)后果。它将主要被环境部门使用，用来研究在考虑到生物多样性、敏感栖息地、濒危物种、土地轮作的情况下，不同土地利用、林地管理和流域管理模式可能造成的长期后果。

尺度：
●时间步长：1 月到 1 年。
●时间范围：十年到百年。
●空间分辨率：100～1 000m。
●空间范围：局地到区域。

输入：
●土地利用。
土地利用模式；
预期的活动(在时间和空间上)；
森林管理规划；
生态系统响应模型；
演替模型；
土地状况趋势数据。

输出：
●流域连续状态预测。
●长期的濒危物种和栖息地适宜性指数的可能变化。
●生物多样性预测(适合于区域的)。
●不同预案的比较。
●对濒危物种和濒临危机的栖息地的预期影响。

这些假设系统中的任何一个都将在 I－STEMS 中构建，但系统用户并不直接与 I－STEMS打交道。由于这些系统都是由同样的环境开发的，它们将为最终用户提供一致的界面。

如果标准模型(如前面提到的 ESA、ISSIS 和 IRESS)不能完全满足需要，土地管理者可以直接使用 I－STEMS 去设计和开发一个新的模拟模型。

15.3 模型修正

管理人员所运行的模拟模型需要大量输入，可以把它们分为初始化参数和运行参数。

初始化参数

流域模拟模型必须用系统的起始状态初始化，状态数据可能会涉及到以下内容：

- 景观图，它反映了植被类型和密度、地形信息、土地权属等；
- 流域活动的安排；
- 天气统计数据；
- 组织和设备表；
- 训练活动描述。

运行参数

当模型运行时，一些情况会影响其运行，它们包括：

- 把子进程提交给计算机；
- 确定模型在模拟过程中和模拟后如何可视化；
- 确定运行输入选项；
- 调试输出选项。

这一章的要点是：构思了一种建模环境，即 I－STEMS，它允许创建针对特定地区和特定管理问题的模拟模型，这些模型能够被集成到流域管理部门的决策过程中来。I－STEMS应该具有构建大量不同模型的能力，这样就可以根据用户界面上反映出来的当地需要和情况，快速而有效地进行决策。I－STEMS 本身是一个通用环境，在其中可构建出专门的模型和决策支持系统。

第 16 章　模型开发者的视点

16.1　致读者

本节描述了当个人准备使用 I－STEMS 来开发新的模拟模型时，他会看到些什么。景观模拟模型的开发要求由各个学科成员组成一个小组，相互协调，共同开发。可以假设，这些人中的大多数不具备使用底层软件语言设计和开发新的模拟模型的技能，但却能够把模拟模块组装成完整的流域模拟模型。在下一节——“想象”中，将通过一个实例来描述跨学科小组如何开发一个模拟模型，接下来的几节分别介绍系统设计原理(基于模型开发者的观点)、子系统实例、通用指示器和控制器。

16.2　想象

为了更形象化地展示出 I－STEMS 地理建模系统(GMS)的功能，这部分设想了一个假定的未来场景，其中涉及到一个军事基地的模拟任务。德克萨斯州的 Hood 堡面临着将他们的训练区扩充到邻接区域的挑战，对这项扩充的要求是它应能容纳计划中已扩展的履带式车辆训练任务。环境部门的任务是制定几个年度训练场景，并且评价每一个场景所产生的直接和间接影响。这些影响包括：①训练能力；②对当地金颊鸣鸟(golden－cheeked warbler)种群的影响；③对当地黑顶鸣鸟(black－capped vireo)种群的影响；④对当地和区域生物多样性的影响。以上都是环境评价所必需的一部分。管理方面的需要决定了应该由一个来自环境、训练和调度部门的人员组成的跨学科小组来完成上述分析，他们将配置若干台工作站，用来测试 I－STEMS 的最新版本。

第 1 天——组织开发小组

优先考虑召开一个会议，成立工作小组，并简要介绍工作任务。小组的任务是开发一个动态的训练区域模拟模型，其重点模拟对象是计划之内的扩张区域和邻接的胡德堡地产。小组所研制的模型将被用来评价可能会对训练区域造成的直接和间接环境影响。在把新的土地用做训练区之前，需要考虑到以下大家熟知的问题，包括：①两种濒危物种；②潜在的敏感生态系统和栖息地；③对下游的饮用水井的水质要求；④对区域生物多样性能动因素的影响；⑤木材砍伐目标。该小组必须在 20 天内提供一个可运转的模拟模型和初步结果，同时，模型和结果还可以向来访的重要人物展示。此外，除了每一个成员桌面上的工作站外，环境部门还应装备主服务器。它应该为一台价值 50 000 美元，配有 1GB 内存、四个 200GHz 的处理器和 20GB 联机硬盘的服务器。胡德堡在 20 世纪 90 年代中期已经联入 Internet，目前网速可达 100MB/s，这为开发小组提供了强大的在运行中访问超级计算机中心的能力，其中包括位于伊利诺斯大学的国家超级计算应用中心(NCSA，National Center for Supercomputing Applications)。这个小组将使用 I－STEMS 的最新版本。

第 2 天——建立子小组

初步下达简令之后，小组成员再次开会并且建立了以下子小组：

- 具体物种的模型；
- 天气和气候；
- 水文；
- 群落和生态系统；
- 地理信息系统和图像处理；
- 可视化和控制；
- 训练。

每个小组的任务是找到和评价已有的模型组件，他们花费一天的时间寻找分布在 Internet上和本地资源中的模型组件。

第 3 天——可用组件报告

模拟小组简短讨论各个成员在一天的搜索中发现的信息。可能被采用的系统组件列于表 16-1，这些组件都遵循 I－STEMS 标准，这使得他们能够容易地被集成。小组报告如下：

(1)物种小组：找到了 3 个有关本地濒危物种的模型。对于黑顶鸣鸟和金颊鸣鸟，既找到了基于种群的模型，也找到了基于个体的模型。小组建议采用基于种群的模型。

(2)天气和气候小组：天气和气候模型都是在 Internet 上找到的，两个模型及模型输出都被认为是标准的、可接受的。

(3)水文学小组：小组找到了 I－STEMS 格式的 Saghafian(Saghafian，1993 年)模型，该模型在许多流域中已得到了验证。同时也找到了一个新的，并且遵循 I－STEMS 标准的土壤压实模型，它位于工程研究与开发中心的岩土工程实验室的服务器上。

(4)群落和生态系统小组：采用由美国陆军工程兵团开发的标准的植物演替模型，版本为 4.2 测试版。

(5) GIS 和图像处理小组：有大量过去和现在的 GIS 及影像数据都适用于 I－STEMS。

(6)可视化和控制小组：当前，伊利诺斯大学的 Internet 服务器提供了大量可视化和控制对象，可满足 I－STEMS 应用，这些对象包括传统的表、滑块、菜单、反馈面板、对话框和按钮。该站点上还有几种复杂的、新的智能控制器，它们管理平衡选项、各种优化方法和协作建模工具。

(7)训练小组：有两个训练模型集可以使用。过去 10 年来，胡德堡的训练影响表一直得到了成功应用，这些表把训练项目和训练地区与所估计的环境损害程度联系在了一起。另外，建筑工程研究实验室(CERL)在其较新的一组地图中，将空间维增加到了训练影响表中，并且提供了 30m 分辨率的影响信息。训练小组决定采用这些地图以及 CERL 制作这些地图的方法。

第 4 天——注册可用的子模型

一个新的模型被建立在服务器上。这个过程包括设立一个信息交换服务器，它用于实现运行在不同机器上的不同进程间的通信。所有的参与者需要在他们各自的工作站上建立 I－STEMS 环境。这样做了之后，每个小组成员就都能够便捷地查询和观察正在开发中的模型的任何部分，同时也在他们自己的机器上创建模型组件。然后，小组成员开始在本地计算机上创立选自表 16-1 的子模型。当这一天结束时，每一个成员都能够看到不同子模型间虚拟互联的状态。例如，对水文模拟模型状态的查询结果显示为以下报告：

报告的开头首先指明水文模拟子模型已被登录到名为“Ft. Hood 扩展模拟”的主模型上，而主模型又被登录到名为 env. fthood. army. mil 的机器上。对该模型的连接是通过访问代码 175(端口或插槽类型号)来实现的。由于子模型自身已被注册到主模型上，它也可以运行在 hydro. fthood. army. mil 上并且通过 hydro. fthood. army. mil 访问。需要注意的是，所有子模型都可以在不同的机器上运行，是底层的信息代码真正实现了这些子模型的无缝集成。报告中还列出了一些模型的元数据，它们标记出子模型的版本号以及子模型赖于运行的 I－STEMS 的最新版本。报告中的输入和输出部分提供了子模型与其他子模型连接的信息。连接是通过用户界面而建立的，界面首先针对可用变量探清模型空间，然后使得模型开发者建立起所需连接。输入部分的转换器一栏说明哪些标准的单位转换器被用来建立连接；输出部分则指明了当前使用可用输出的子模型。当不同组件相互结合时，报告中的子模型列表将随之扩大和收缩。

“水量”输入被认为是由子模型“虚模型”提供的，这是一个被保留的子模型名，该名称被赋予简单的数据生成程序。模型开发者被允许创建哑元输入，它由以时间作为独立变量(例如：月)的不变值或图表来定义。使用哑元的目的是双重的：首先，这种方式能够提供那些其他子模型产生不了的输入；其次，在调试和敏感性分析中，输入变量可以被设为静态值。

除了子模型，也可以建立组件，然后通过报告了解它的基本信息。最重要的对象类是指示器和控制器：指示器就是仅从其他模型存取输出结果的子模型，他们以多种不同的方式探查子模型和显示信息，提供系统状态的运行视图(地图、表格、图表等方式)，或者将数据转储到输出文件中，用于以后分析。同样，控制器从根本上说也是子模型，但它为其他子模型提供输入。通过操作人员与图形用户界面的交互，控制器将数值提供给子模型，这些输入然后被加载到相关的子模型中(通常，接收数据的子模型控制数据探查)。

对建模人员来说，有用的其他接口还有许多，在这里简短地提及其中 2 个。①主控制面板。总的来说，它的作用是启动和控制模型，它允许用户将不同子模型的状态转变为开启(ON)、关闭(OFF)和静态(STATIC)。关闭状态使得子模型看来似乎不存在；静态即关闭子模型，但是允许子模型产生预定义的静态信息，这与“虚模型”非常相似；开启状态使得子模型在一个模拟运行过程中正常运转。另外，这些状态也被用于控制指示器和控制器组件。②第二类通用型的重要接口也是一个控制面板，它支持对每个子模型以及视图和控制器接口进行简单的修改。例如，如果简单地允许建模人员将生长率、消费率、繁殖率和活动范围的大小等属性“拧”在一起，一个普通的种群子模型就能模拟许许多多种群；另一个例子是，一个用户界面或许能支持对一系列给定数据的多种显示，如柱状图、条带图、颜色和等级序列。

表 16-1　假想的可用模型组件

可能被采用的组件	来源	描述	d_T 和 d_S	所需输入	可得到的输出
黑顶鸣鸟	建筑工程研究实验室(CERL)	为 Ft. Hood 开发的种群模型对象(1998年)	1 周 1km	天气、地形、植被(草、非禾本草本植物、灌木、树)	6 个不同生长阶段的密度
黑顶鸣鸟	德克萨斯大学	为德克萨斯州开发的基于个体的对象(2001 年)	1 天 100m	食肉动物密度、天气、地形、植被(5 种)	位置、健康指数(5)、年龄、性别等
金颊鸣鸟	德克萨斯 A&M	为 Ft. Hood 开发的种群模型对象(1998年)	1 周 1km	天气、地形、植被(草、非禾本草本植物、灌木、树)	6 个不同生长阶段的密度
植被密度图	CERL	植被、草、灌木、非禾本草本植物、树(2002年)	N/A 30m	N/A	N/A
植被演替模型	科罗拉多州立大学	20 种物种的演替模型(1999 年)	1 月 100m	土壤类型、植被开始生长时的土壤压实状态	演替阶段
履带车辆影响模型	WES	土壤压实模型(1997年)	N/A N/A	每公顷不同土壤类型上履带车辆行驶的天数	土壤压实
生物多样性模型	伊利诺斯自然历史调查(INHS)	10 个关键物种的模型(1998 年)	1 年 10km	气候、5 个演替状态中每个状态下的各种土地面积比例	每种物种的密度和遗传变异性
训练模型	CERL/Ft. Hood	为每项训练和训练区域组合而绘制的地图(2003 年)	1 天 30m	训练练习、训练区域	平均履带车辆天数/每公顷
GIS	Ft. Hood	100 多幅数字化地图构成的数据库	N/A 5～100m	N/A	100 多幅地图、一些历史数据、大量影像
水文	CERL	Saghafian 有限差分模型(Saghafian，1993年)	分钟到天 30m	地形数据、土地利用和土地覆盖	饱和度、深度、速度、冲刷和沉积
天气	国家天气服务中心	历史和平均天气条件及概率	1 天 100m	一年中的天数	温度和降水的平均值、标准差及概率

每一个能以某种方式被探明的子模型都生成如表 16-2 所示报告。

表 16-2　水文模拟

主模型信息				
名称	Ft. Hood 扩展模拟			
主服务器	env. fthood. army. mil			
访问代码	175			
子模型信息				
名称	水文模拟			
模型服务器	hydro. fthood. army. mil			
访问代码	180			
元数据				
作者	Bahram Saghafian			
版本	4.3.1			
I-STEMS 版本	2.6			
分辨率	30m			
输入				
名称	单位	初始化方法	提供者	转换器
高程	m	GIS	N/A	N/A
坡度	degrees	GIS	N/A	N/A
初始饱和度	mm	GIS	N/A	N/A
土壤渗透度	mm/day	GIS	N/A	N/A
Manning K 值	K	GIS	植被模型	N/A
水量	mm/hr	N/A	虚模型	mm/inch
输出				
名称	单位	使用此变量的子模型		
土壤饱和度	mm	植被		
水深	mm	植被		
		金颊鸣鸟		
		黑顶鸣鸟		
		训练		
水的流速		植被		
土壤流失/沉积	mm	植被、演替		

第 5～10 天——研究如何开发所缺少的组件，扩展或修改已有组件

在对已有组件进行最初的组装之后，小组利用整整一周的时间开发另加的模拟组件。特别是，不得不以某种方式集成现有的可视化工具，使它最大程度地与当前应用程序的特点相符。另外，也需要对训练子模型作些小的升级，以反映新的训练场景和用于新的流域的武器系统。之后，每个子模型需要独自运行，以尽可能多地发现潜在错误。

小组认为需要开发两个新模型，以帮助回答总体目标。①由于生物多样性问题所需的时间步长和分辨率完全不同于其他问题，需要一个单独的模型来模拟它。②因为两个模型的驱动引擎是一致的，它们的输出将会相互校正。

第 10～14 天——集成与调试

这周的工作包括把尽可能多的组件置于开启状态，然后对模拟模型进行大量的运行

测试。当超出合理范围的情形出现时(如负的种群数量、温度超过150°F、在模拟过程中演替阶段溢出),就能发现和修复子模型和数据中的错误。对于那些不确定性更强的输入——其中有些被认为是相当重要的,必须进行敏感性分析。另外,也要测试和改进已开发出的用户界面,以保持其稳定性。

第15~20天——管理人员对可选方案的评价——生成报告

在最后阶段,邀请管理部门的代表参加最后的模拟运行。首先,针对更新了的区域边界和公路网络,运行一些不同的训练方案。然后,运行结果被制作成视频,以便在将来的会议中重放,或者放在Internet网上以供浏览。通过对计划中训练活动的最近认识来看,似乎应达到的目标比起初想象的要多。例如,当一项部署被实施时,特别要监测关键地点、阈值和主导性指示因子。最后,将模型资料制档并提供给管理小组,以供他们根据选定的策略来决策。

以上虚构的场景(其实也基于一些事实)表明GMS对景观管理人员(这里是军事基地训练场管理者)是有用的,他们可以使用GMS快速设计和开发针对具体地点的动态模拟模型。这些模型以适当的时空尺度同步模拟景观中的不同组成部分,这样,管理人员就能够发现各组成部分之间的相互作用及其长期和间接的影响。

16.3 系统设计原理

上一节虚构的场景揭示了许多设计原理,在此予以明确阐述。首先,建模环境支持那些有难度的、需要协力完成的工作。在建模时,首先安排专家仔细研究与I-STEMS兼容的模型库,分析和确定可能适用的子模型。这些子模型将由专家(如水文学家)设计和开发,目的是其后与其他专家(如草场和植物演替科学家)开发的子模型相连接。子模型反映了模块化原理,在上述场景中用到的每一个子模型都是在将被集成的最终模型之外开发出来的,都是独立对象,都可以随时运转并与许多研发机构开发的其他子模型交互。

以计算机科学的观点来看,集成模型一般运行在分布式或者异构计算环境中。可以允许单个子模型运行在它所产生的平台上,但同时,它要与运行在不同的中央处理单元,甚至局域或广域网内不同计算机上的其他子模型相互作用。子模型的开发要使用标准的相互通信协议,以保证它与其他子模型的通信。有一类子模型将成为指示器和控制器,这些子模型可以查询模型之外的模拟空间,根据内部规则处理所查询到的信息,然后可能把内部信息再传递到外部。视图是一个子模型的实例,它查询外部信息,然后通过运行中的可视化或者将数据保存在文件里以便今后浏览和分析的方式,将查询结果"从内部"传递给操作人员。与视图一样,控制器也与操作人员通信。操作人员输入信息给控制器,后者反过来用这些信息去改变其他子模型的状态。

16.4 模型控制中心

一个I-STEMS模型包含许多关键组件,每个组件可能运行在不同的CPU或网络上的不同计算机上。从模型开发者的观点看来,这些组件可以分为以下两类:

(1)模型控制中心;

(2)模型子系统。

本节讨论控制中心,下一节从模型开发者的角度描述模型子系统。控制中心由许多相互关联的程序组成,这些程序一起提供了初始化和管理子系统的环境。控制中心是和用户界面联系在一起的,后者提供了观察整个模型运行的各种视窗。控制中心有两个主要职能:第一,维护正在使用的各种子模型的信息,包括模型名称、被指派的计算机、初始化和输入所需的数据,以及子模型在一次模拟中所提供的数据。例如,表 16-3 和表 16-4 列出了两个假定子模型的输入和输出信息样本。如果这两个子模型被控制中心实例化,表 16-5(子模型数据交换表)就会被自动显示给模型开发者,建模人员就能够知道所需输入和可获得的输出之间目前是否匹配。和每个数据流相联系的是数据的单位、相关的错误信息和数据变化频率。第二,在模拟过程中,控制中心将监测系统和模型的性能,包括在各个计算机上的 CPU 使用统计和子模型之间数据交换率(特别是跨网络的计算机之间的数据交换)。

控制中心允许建模人员装配模型组件,同时监测子模型之间可能出现的的相互作用,这可以在网络环境中通过把远程控制中心指定给一台选定的计算机上的主控制来完成。每个控制中心可以访问本地的可用子模型列表,并能根据操作主控制器的用户的指令来实例化这些模型。随着不同子模型的"形成",它们声明它们的数据需求和能够提供的数据,而主控制中心管理这些数据并且有选择地把它们提供给操作人员。一旦一组子模型被初始化并且其输入数据需求得到满足,控制中心就可以设置,并接着启动和停止主模拟时钟。在模拟过程中,可选的视窗能够显示出运行中的统计数据。

表 16-3 水文学子模型(样本)

水文学子模型 名称:		
输出的可用变量		
类型	名称	单位
变量	水深	cm
变量	土壤饱和度	%
所需输入变量		
类型	名称	单位
固定值	土壤渗透性	
固定值	土壤深度	m
变量	Manning K 值	K
变量	降雨量	mm

表 16-4　植被子模型(样本)

植被子模型 名称:		
输出的可用变量		
类型	名称	单位
变量	存活植被覆盖率	%
变量	死亡植被覆盖率	%
所需输入变量		
类型	名称	单位
变量	土壤饱和度	%
变量	日最高温度	℃
变量	日最低温度	℃

表 16-5　数据交换子模型

模型变量	由哪个子模型初始化	由哪个子模型管理	被哪个子模型使用
水深	?	水文	
土壤饱和度	?	水文	植被
土壤渗透性	?		水文
土壤深度	?		水文
Manning K 值	?		水文
降雨量		?	水文
存活植被覆盖率	?	植被	
死亡植被覆盖率	?	植被	
日最高温度			植被
日最低温度			植被

最后,控制中心可以有选择地把与一次模拟(完成的或未完成的)有关的参数保存在主文件中,这些文件以后可以完整地初始化一个模拟模型,而只需极少的用户交互。

16.5　子系统

如上所述,一个完全可操作的 I－STEMS 可以提供一个子模型工具箱,它由许多研发中心设计和开发,并且可以通过建立在互联网上的库而进行访问。每个子模型都有相应的元数据,元数据不仅描述这个模型的特征,而且描述对该模型的有关评论。元数据还明确指出模型适用与否的条件。和数量正在不断增长的子模型库相比,I-STEMS“核心”相对较小——仅提供子模型设计和开发的标准,这将确保子模型通过定义明确的信道与其他模型交互。

共同的外观

每个与I-STEMS相适应的子模型都通过标准协议与其他子模型交互,协议是从应用程序接口中获得的。对于直接开发兼容的子模型的开发者来说,这意味着每个子模型提供给其他模型组件的将是一个共同的、一致的外观。例如,当一个子模型在运行时被初始化,它首先注册(和相关的控制中心一起)其操作所需信息以及它所能提供的信息,然后这些信息由包容了所有参与者(子模型)的控制中心迅速显示出来(例表16-3)。

有一组模型组件将成为指示器和控制器的标准集合,本章最后一节会详细讨论这一点。指示器和控制器具有最明显的“外观”一致性,这是因为:①不同子模型使用同样的指示器和控制器;②它们是人与子模型之间的惟一接口。

子模型是软件+数据

子模型是被作为独立对象而设计和开发的。这里,对象被定义为一个数据和软件指令的独立集合。许多软件开发者都采用了面向对象的软件方法,这使得C++一类的大量软件编程语言得到了发展。I-STEMS把这个发展范例带入到了模型级别的集成。

对于不熟悉面向对象编程的那些读者,让我们来探讨一下这项技术的意义及其影响。许多I-STEMS模型开发者是熟悉GIS的使用的:传统上,GIS将数据(与特定的流域相关)与创建、显示和操作这些数据的软件(GIS)区别对待。为了查询和分析地图,GIS操作员可能会调用当地GIS来执行查询或分析。面向对象的GIS会将操作和地图结合起来,这种结合是它自身的特点而与其他过程无关,这样,我们就可以要求这个对象依靠自身来实现所需查询或操作。

例如,基于传统的GIS推理,某一用户可以要求GIS软件包根据用户在地图上的输入来调用一个特定的程序。用户可能会启动GIS软件GRASS,并且运行如下命令:

R. Info Soils

这个命令在名为“土壤”的地图上运行程序r. info。在面向对象的GIS里,以上命令的语法是反过来的,用户不再要求r. info程序来处理土壤图,而是要求土壤图提供信息。相应的命令将会成为:

ASK Soils TO Give Info

主要的区别在于原来数据的惰性部分现在成了一个积极的实体,能够对一定的请求作出反应,这改变了显示数据的方式,而且为以更加动态(迅速变化)的方式集成数字化流域信息创造了机会。在传统的GIS中,操作由地图激活,这至少需要以下步骤:读入地图到内存→处理数据→将地图写回到磁盘。每个步骤,无论其复杂性如何,都按照以上顺序在地图上逐步执行。如果在某一幅地图上执行许多操作,而这些操作又不时被其他地图或文件上的操作所打断,那么,地图作为“活”对象这一概念就变得很吸引人了。在模拟或一系列不同操作期间,地图对象能使地图始终处于活动状态,它把地图存储在虚拟内存中,然后就可以不断地对改变地图或访问地图信息的请求做出响应。

对于动态的流域模拟,面向对象的概念非常有用。由于每个 I－STEMS 子模型本质上是和某些流域信息的状态和管理,即地图联系在一起的,那么,从概念上讲,I－STEMS 就是一个动态的、以模拟为中心的、面向对象的 GIS。模型开发者可以认为流域模拟就是相互影响的动态地图的集总。例如,植被覆盖图实际上是植被的动态模拟,并且可以运用基于 Clementsian 植被演替的规则。又如,训练模拟地图不仅应该表示训练练习,同时也应表示训练任务、物质补给、燃料限制、时间限制和所规定的环境影响的底限。I－STEMS模型开发者必须把子模型当作是行为规则和系统状态信息互相结合的对象。那些操作和数据相统一的对象会逐渐形成大量对象库。

16.6 指示器和控制器

所有 I－STEMS 建模人员和运行完整的 I－STEMS 模型的管理人员都对一类 I－STEMS对象非常熟悉,即指示器和控制器对象。正如上一节所讨论的,在面向对象的程序中,对象包括信息(数据)和操作。对象响应于外部对象的请求,也向外部对象发出请求。就指示器和控制器而言,操作人员提供"操作指令"。从概念上也就是说,操作员被系统中其他对象看做是存在于指示器和控制器对象的内部。实际上,对象对其他对象内部的运行状态一无所知,它们仅仅知道可以向其他对象提出某些请求。驻留在对象中的人或计算机自动机对其他对象没有影响。

I－STEMS 中的指示器和控制器对象提供了惟一的用户接口。I－STEMS 的规则是,模型对象内部的软件程序不驱动外部设备(监视器和键盘),其原因是三方面的。第一,如果不允许子模型以操作员的方式执行它自身的接口功能,用户界面的一致性就能得到更好的维护和管理。第二,在已有的所有软件中,用户界面的相对生存期最短。I－STEMS子模型预计有 10～30 年的生存期,而其界面软件预计只有 5～10 年,如果强制性地把用户界面从模型中分离出来,将能更有效地不时更新 I－STEMS。第三,软件不应只能请求特定的外部设备,通过强制子模型开发人员使用指示器和控制器,开发者就不大可能写出只是针对特定系统(外设)的软件。

建议开发下面四种指示器和控制器。其实,还会有其他类型的指示器和控制器以及这四种对象的组合。

运行中的可视化

在模拟运行期间,一个纯可视化对象子模型仅仅是从子模型对象中查找用户指定的某些信息。可视化子模型所使用的软件调用方法与子模型进行相互查询时所使用的调用方法是相同的。开发人员将设计出运行时间可视化对象,以提供一些观察模型运行状态的视窗,包括以下内容:

- 地图指示器:可以叠加栅格、矢量和点信息。
- 时间序列指示器:以图表的方式显示所选状态变量。
- 表格指示器:显示所选状态变量。
- 系统总体状态指示器:显示计算机上的线路荷载(CPU、网络、内存、硬盘)。

运行控制

控制子模型可以使得操作人员在模型运行过程中进行输入。模拟控制包括以下两部分：

- 整体模拟的控制：包括启动和中止一部分模拟的能力，以及互换子模型的能力。
- 单个子模型的控制：例如，增加或删除组件，改变子模型的状态。

或许大多数控制子模型也都是指示器子模型，因为从概念上讲，浏览和控制是通信过程的两个方面。然而，在不使用控制器的情况下，单独使用指示器，也不是不寻常的。

数据存储

当模型运行时，模拟状态在不断地变化。一个复杂模拟通常无法保留贯穿整个模拟运行过程的所有系统状态。考虑一个有着 1 000×1 000 个网格单元的流域，每个单元管理 20 个状态变量，模型以一周为时间步长运行 500 年，再假定所有的变量都由 8 字节浮点数表示，那么整个模拟将产生 4.16 TB 的输出（1 000×1 000×20×500×52×8）。与可视化模型的工作方式相似，数据存储子模型也从模拟中获取系统状态，但是，它不是图形化地显示输出结果，而是以文件的方式存储所选择的一部分模拟状态，以供以后的统计分析。

后分析

数据存储子模型捕获数据，以用于其后的分析。I－STEMS 将依靠已有的数据分析和显示软件进行分析工作，这些软件包括统计软件包、地理信息和图像处理系统、标准的绘图工具、转换器和电影播放器。

这一章从模型开发者的观点概述了 I－STEMS。I－STEMS 被构思为一个通用环境，它包括了一整套开发和测试模拟模型的工具。利用 I－STEMS，模型开发者就能够通过选择、组合和参数化特定的模型和用户界面模块，建立针对特定地域和特定应用的多学科模拟模型。

第 17 章　程序员的视点

17.1　致读者

站在程序员的角度看 I－STEMS，就会陷入关于编程语言、进程间的通信、并行与分布式处理、对象设计、对已有软件的对象封装等复杂的技术问题决策。对于 I－STEMS 这样的大型复杂系统，最大的挑战或许还是如何选择用于开发的软件模块。硬件和软件环境正在快速变化，虽然选择系统开发环境十分急迫，但新兴技术却可能使这些选择迅速过时。因此，在做出选择时就必须考虑到正在开发中的软件的发布日期。由于这一天还遥遥无期，本书只对可能的选择提出建议，并从程序员的角度重点讨论系统需求。

17.2　系统设计原理

I－STEMS 的目标是成为一个通用的动态和空间生态建模系统。为了实现这一目标，它必须是高度模块化的、可适性强，并且能够引起众多的研究所和程序员的兴趣。从经济上讲，单个研究所不可能负担起全部性能的设计和开发，因此，模块化是绝对必要的。

I－STEMS 必须采用和适用于已有的模拟软件。如前所述，它的目标之一是回应土地模拟模型相互通信的需求。假如设想利用计算机软硬件产品和理论的最新进展，设计开发出全新的软件，那将是十分诱人的，但是 I－STEMS 的开发者却必须使用已有软件的技术，这是因为用来开发 I－STEMS 的资源是很有限的。使用已有软件会牺牲一些模拟效率，但可以避免软件再开发、调试和软件移植的开支，并使得来自不同建模和模拟团体的专家能够有机会以最小的投资加入到 I－STEMS 的开发中来。

17.3　系统概观

I－STEMS 必须有一个为系统提供黏合剂和聚焦点的核心。黏合剂是位于系统底层的子模型相互通信标准与语言，在某种程度上，也即一组核心的系统指示器和控制器。I－STEMS的概略设计图如图 17-1：三个大方框各代表一台计算机（机种可能不同），每个计算机内又有许多不同的进程，它们通过数据交换总线通信。相互协作的所有软件组件表示一个模拟模型。椭圆代表子模型，它由模型开发者组装自模块库，以应对土地管理者的建模需求。

图 17-1 中的实线椭圆代表三个不同的子模型，它们是原本作为独立程序运行的已有模型。每个子模型都被封装为 I－STEMS 对象（表示为虚线椭圆），每个对象又在一台计算机上（或网络以及单台计算机上的多个处理器）作为独立进程而运行。封装为从其他子

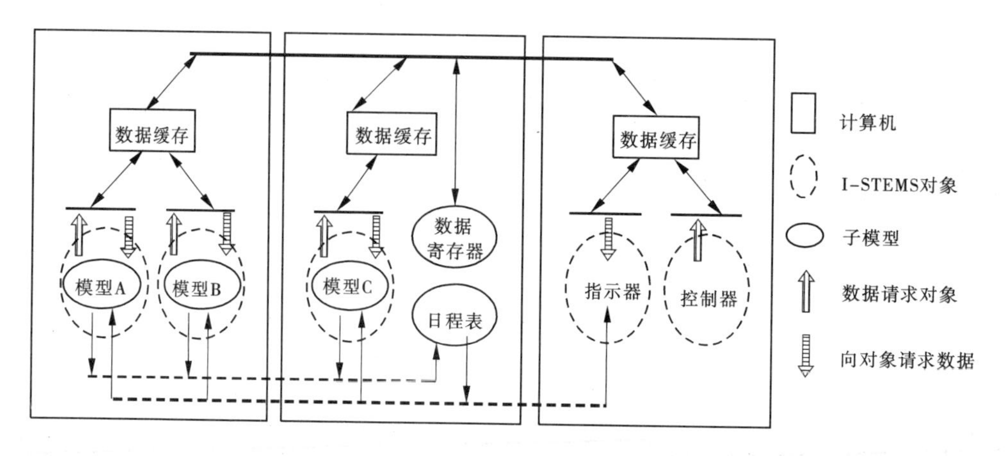

图 17-1 I－STEMS 系统概观

模型(横线填充的粗箭头)请求信息,也为响应来自其他对象(纵线填充的粗箭头)的请求提供了标准信道。需要注意的是,I－STEMS 对象(虚线椭圆)的多样性,它们各自都基于一套标准协议,通过为数不多的信道与其他系统对象通信。

图 17-1 中设想了三种信道。最上面的横线,在图中位于“数据缓存”对象之上,代表对象之间的数据交换,这种交换以数据缓存为中介。最下面的横线表示计时器和系统中模型对象之间的通信。

17.4 子系统封装

每当给 I－STEMS 新增建模能力时,都必须遵守严格的标准。从设计上讲,一个封装起来的模型组件只和运行在本地的数据缓存通信。因此,如果其他模型对象运行在同一个模拟中,它们就必须以标准格式提供信息,以响应于标准请求。以上方案使得向 I－STEMS添加新的模拟模型组件成为可能,因为不需要对已有组件再次编程I－STEMS就可以接受它们。

对现有的独立模拟模型组件进行子系统封装的步骤如下:

- 把模型从数据和用户界面中分离出来;
- 使模型符合标准的 I－STEMS 封装规范;
- 开发一个模拟来测试新模型。

在对这些步骤展开讨论之前,必须重申执行以上步骤的最好人选是那些独立模拟模型的原作者。启用原作者通常会最大程度地降低开发成本,并保证将来的开发工作与原系统一脉相承;另外,也可以显著减少调试工作,显著降低调试成本。在此,强烈建议 I－STEMS核心开发组将大部分模型组件的设计开发承包出去。核心组应将主要精力放在核心系统组件的开发、增强和维护上。本章其他部分描述了这些核心组件。

步骤中的第一步是将真正的模拟代码从所有数据和用户界面中分离出来。I－STEMS模型对象与外界的接口是通过与它相连的数据缓存进行通信来实现的。因此,任何模型与数据资源、其他模型以及人的通信都通过数据缓存来完成。这样,模型本身就可以独立于其通信方式，数据请求以及对数据调用的响应都被提交到标准的I－STEMS模型封装例程。

封装例程会提供一系列函数，本书不讨论这些功能的实际实现方式，实施细节或许是，也应该是I－STEMS开发组的职责。接下来介绍所需的函数功能：

●把模型登录到本地数据缓存。封装的I－STEMS子模型将作为独立进程运行。在启动时，就会给子模型配备本地缓存以及与主时钟通信的方法；同样，在启动时，模型将自己登录到本地缓存。

●确定启动时所需的数据输入。启动时子模型通常会将四类信息放到本地缓存中。第一类是模型初始化所需信息；第二类是模拟过程中所需数据；第三类是模型启动时可以提供的信息；第四类是模拟过程中模型的输出。

●监视模拟时钟。启动时的另一行为是建立与系统模拟时钟的通信，然后就可以在模拟运行过程中随时监视时钟。

●在时钟上登录时间(宣布和等待)。除了监视模拟时钟外，每一个模拟模型也可以选择性地把两类消息传递到时钟：第一种，模型指示时钟在特定的模拟时间发出时间信号，然后等候模型发出继续走动的消息；第二种，发出继续走动的消息。当到达预定时间时，可以通过指示时钟发出时间信号来对事件排队。方式如下：①同步事件：一旦事件完成，那些必须同步完成的事件就返回一个继续走动消息。②非同步事件：在向时钟发出继续走动的消息之后，同步事件即被完成。③准同步事件：可以紧随在继续走动消息之后发出第二次排队时间，第二时间即准同步事件必须完成的时间。当等待在队列中的事件全部完成后，子模型发送出一个继续消息。

●接受初始化数据。模拟的开始是一个惟一事件，此刻，被模拟的系统状态必须被载入系统。模拟过程包括三个基本阶段：第一阶段，启动I－STEMS核心模拟软件(主系统时钟和数据寄存器)，它运行于网络中的一台单机上，配备有固定的信道；同时，在参与模拟的每台机器上也启动数据缓存，并建立缓存之间以及它们与数据寄存器的通信。第二阶段，初始化不同的模型、指示器和控制器，它们把数据需求和输出传递给与它们相连的数据缓存，数据缓存又与数据寄存器共享这些信息。第三阶段，在所有的数据需求得到满足后，即启动模拟，启动过程包括从数据供给对象得到所有初始化数据，然后启动日程表。

●请求与接受数据。在模拟期间，数据会在不同模型之间来回传递。每一个模型都请求与接受数据。

●接受与响应于数据请求。数据请求会指向提供数据的模型，而模型必须接受并响应这些请求。

●重置。每一个模型都必须正确响应重置信号。收到重置信号后，模型再次初始化，因此模型将处于与第一次启动时同样的状态。

如上所述，数据在作为独立程序运行的不同模型之间传递，应该采用一套标准的数据格式传送这些系统状态信息，这些信息包括：

(1)有界栅格数据——整型、浮点型、无值型；

(2)某一给定点的状态——位于特定点的某些特定信息；

(3)以某一点为中心，给定半径内的状态——返回一些给定信息的平均值；

（4）其他。

所有数据都应该是有单位的。数据请求与响应必须做到单位匹配；在把数据从数据缓存传送到发出请求的子模型的过程中，有时也需要完成单位转换。

17.5 数据缓存对象和数据寄存器

I－STEMS子模型把外部世界看做可获取的信息，而非一组对象。每一个对象都以这样的“信念”工作，即已知世界以自己为中心，周围环绕着它可以了解清楚的信息。对象响应于信息请求，但并不知道请求源自何处。数据缓存对象是外部信息世界和来自外部的信息请求的中介。在每一台参与模拟的计算机上，都有一个数据缓存对象在运行，并为运行在那台计算机上的所有I－STEMS对象所共知。由于I－STEMS对象不能直接看到其他I－STEMS对象，信息通信中的复杂性被降到了最低限度。

任一台计算机上运行的数据缓存都与所有其他机器上的数据缓存互相通信，它们协调完成一次特定的I－STEMS模拟。数据缓存具有以下功能：

●维护由I－STEMS对象所管理的数据的信息，这些信息包括数据格式（栅格地图和矢量地图）、参数、值、误差范围和数据的生命周期。当需要时，可以从其他数据缓存中取出这些信息，并存储在本地。当接到请求时，信息被提供给其对象；这时，如果有可用的共享内存，也可能将数据的内存地址提供给对象。

●给出每一个针对I－STEMS对象的数据需求被装载的位置。

数据缓存也与I－STEMS的数据寄存器通信。数据寄存器与一组“主控制”相关联，并且管理着所有可获取数据的地址和类型，这些数据由I－STEMS对象所产生。数据缓存通过向寄存器提出查询，而在I－STEMS对象群中找到每一种所需数据类型的位置。

17.6 模拟记时器

I－STEMS子模型对象必须同步运行。总是可以假设在I－STEMS模拟中，不同子模型需要其他子模型的当前信息。因此，每个子模型与记录模拟时间的中央时钟保持同步是很重要的。完成这一工作的是图17-1中的“日程表”对象，它接受来自模拟模型对象的请求。这些对象本质上是自己安排它们晚些时候所必须做出的更新或操作。例如，一个水文模拟对象安排自己在某一时刻进行彻底的更新，当时间到达那一刻时，“日程表”对象就会提醒排定时间的对象。

17.7 指示器和控制器

图17-1的右边显示了一个指示器和一个控制器。正如在前面子系统封装一节所讨论的那样，如果要把一个已有的独立模型转换为I－STEMS子模型，就要首先做到模型和数据与用户界面的分离。在I－STEMS中，用户界面由一些特别的子模型所取代，这些子模型的内在特点就是与监视器、键盘、数据存储设备等计算机外设交互。由于这些子

模型通过数据缓存与完整的模拟模型的其他组件通信,因此它们对用户界面和可视化的细节一无所知。

预计会开发出一些指示器和控制器,它们允许适当的用户反馈和输入。下面介绍几个预计中的指示器和控制器:

●带状记录指示器。用户将会与一个或多个数据流打交道,这些数据流是通过定期地查询子模型中的信息而获取的。交互版本的指示器允许用户仔细浏览从子模型中得到的数据,并且动态选择他们愿意跟踪的数据。

●出错信息监视器。子模型产生能被捕捉到和显示出来的出错信息。

●二维地图。可以从子模型中动态提取地图信息,然后把它们显示出来。可以选择性地显示网格、叠加信息、注记、坐标等多层制图信息。

●电影。与二维地图不同,这种指示器可以把模拟的全过程一一从过去到目前都展现出来。

●状态监视器。一些子模型模拟离散的流域实体的状态,状态监视器被用于访问和显示这些实体的内部状态和外部环境。

●输出捕获器。以上每种指示器都能选择性地把数据和图像存储为本地文件,以用于后处理。此外,某些指示器在模拟期间不呈递数据,其任务不应只限于在模拟期间允许用户选择数据用于动态存储。

●介入模拟控制器。这种控制器使人能够利用"飞行模拟器"界面来模拟一些流域实体的行为。例如,熟悉动物的科学家可以动态地输入动物的行为。一些子模型会允许控制器去调节内部参数。因此,可以靠人工干预来恢复种群的数量、改变天气、散播一次疫情,或改变地区环保条例。将来,极有可能开发出一些高度真实的模拟模型,它们仅仅基于用户的动态输入而进行模拟。这种像游戏一样的模拟环境对于研究土地管理的不同预案是非常重要的。

其他指示器和控制器也将不断涌现,将会出现许多有竞争力的版本。I-STEMS必须成为一个开放系统,才有可能被众多的实验室所采用。

17.8 实施途径

使用目前的软硬件技术开发集成的时空生态模拟系统是可行的。最大的挑战在于组织和领导能力方面,即能否激发起不同组织(或联盟)足够的兴趣,以联合起来开发出第一个原型。下面,我们首先从技术层面考虑一下不同的实施途径,再来研究可能的管理方法。

在开发任何软件之前,管理部门确认预期的用户是关键的问题。为此必须回答两个关键问题:第一,应该把谁作为预期的或目标中的用户群体?是规划人员,还是科学家?抑或有众多职员的地区政府机构,只有一两个职员的当地机构?还是市政规划局或农业规划局?第二个问题容易被忽略:即系统可望运行多少年?为单一用户完成下一年的研究工作而开发的系统和可以工作十年或更长时间的系统会有很大的不同。

管理I-STEMS开发项目将面临几个关键挑战,其中资金和合作最为重要而且不可分割。合作的重要性部分体现在它构筑了一个广泛的资金来源基础,但更重要的是,I-STEMS的目标是把科学家们最好的模型集成为进行管理决策的优秀模型。由于作为I-STEMS集成基础的那些模型是大力资助和智力付出的最终结果。因此,把开发I-STEMS模块的原开发组囊括在 I-STEMS 的开发中就显得十分重要。建议I-STEMS管理层尽快召开研讨会和讲习班,并且尽可能扩大从广泛的参与者那里得到的好东西。

虽然I-STEMS会有来自大量团体的众多参与者,但必须拥有一支小巧、精干和敬业的程序员小组。这支小组必须得到持续的投资,并且在开发过程中关键的第一年要保持相对稳定。小组的责任是集思广益,并将一个大家乐于使用的系统回报给社会。

结　论

第10章讨论了三种把模拟建模技术应用于流域管理的常规方法。第一种方法是依靠科学团体,根据他们的复杂模型的运算结果而形成报告。目前,这种方法虽然成本很高,但较易使用。第二种方法是,运用复杂的科学模型去参数化那些较为简单的面向管理的决策支持系统,它同样也已经在几代人那里得到了成功应用。这种方法始于科学家们为自然资源管理者所撰写的专著和文学家们收集和分析我们周围世界的信息,以浓缩的形式发表有关结论。因此,自然资源管理者就可以据此做出更精明的决策。最近,产生信息和结论的科学家们运用Internet的方式又有了新变化,它们不仅把它作为交流知识的媒介之一,同时也把那些反映了自然、人和经济环境中众多因果关系的软件放在网上,这样,管理者就可以便捷地使用它们。第三种方法是把科学模型集成为多学科的、面向管理的、空间显式的模拟模型,这种方法代表了将来的发展方向。

在本书第三部分,我们探讨了对下一代面向管理的流域模拟建模环境的一般性定义。概括起来,关键的思路是:

●定义一个通用的模拟建模框架——它提供模拟模块之间的通信联系方式;

●把已有的模拟模型转换为更具综合性的系统中的模块;

●把用户界面当作模拟模块来开发——使用同样的计时方法和信息交换通道;

●开发模块库,为管理人员在模拟模型中更精确地描绘土地/水系统创造更有利的因素。

现在业已存在一些与I-STEMS相似的集成环境,包括空间建模环境(SME)、动态信息架构系统(DIAS)、高级架构(HLA)和模块建模系统(MMS)。随着这些系统的成熟和发展,将会出现更多支持这些系统的模块库。同时,新系统也将不断涌现,这些系统将建立在XML、新的分布式处理软件、新的Internet界面和图形显示方式等新技术的基础上。

就软件技术而言,未来总是会比现在拥有更多的希望,但我们无需等待未来。今天的自然资源管理者同样可以获得功能强大、应用性强的模拟建模技术。在20世纪80年代,GIS实际上就提供了像今天一样的分析技术。从那时到现在,开发和访问GIS数据的费用显著地降低了,很多人熟练地掌握了GIS的功能,使用更快速的计算机则加快了分析时间,也大力改善了用户界面。自然资源模拟建模也会走一条GIS的发展之路,GIS只是管理着我们环境的当前和历史状态,而集成的模拟模型将增进我们对掌管着自然界的过程的了解。但是,就像20世纪80年代的GIS,模拟建模必须克服标准化和模型开发的高成本等问题,同时,也必须开发出面向管理的用户界面,使得管理者集中精力应对迫在眉睫的问题。

参考文献

[1] Adler, R. W., et al.. The Clean Water Act Twenty Years Later. Washington, D. C., Island Press. 1993

[2] Allen, T. F. H., T. B. Starr. Hierarchy. Chicago, University of Chicago Press. 1982

[3] Andrewartha, H. G., L. C. Birch. The Distribution and Abundance of Animals. Chicago, University of Chicago Press. 1954

[4] Beasley, D. B., L. F. Huggins. ANSWERS (Areal Nonpoint Source Water－shed Environmental Response Simulation) User's Manual. Chicago, U.S. Environ－mental Protection Agency. 1982

[5] Belanger, R., et al.. ModSim: A Language for Object－Oriented Simulation. LaJolla, CA, CACI Products Company. 1989

[6] Bodelson, K., E. Butler－Villa. Santa Fe Institute. http://www.santafe.edu, Internet URL. 1995

[7] Botkin, D. B., et al.. "Some ecological consequences of a computer model of forest growth." Journal of Ecology. 1972, 60: 849～872

[8] Botkin, D. B.. Life and Death in a Forest: The Computer as an Aid to Under－standing. In C. A. S. Hall and J. W. Day, eds. Ecosystem Modeling in Theory and Practice: An Introduction with Case Studies. New York, Wiley, 1977, 213～233

[9] Buckley, D. J., et al.. The Ecosystem Management Model Project: Integrating ecosystem simulation modelling and ARCIINFO in the Canadian Parks Service. Second International Conference/Workshop on Integrating Geographic Information Systems and Environmental Modeling, Breckenridge, CO. National Center for Geographic Information and Analysis. 1993

[10] Caswell, H.. "Community structure: A neutral model analysis" Ecological Monographs. 1976, 46: 327～354

[11] Caswell, H.. "Predator mediated coexistence: A non－equilibrium model." American Naturalist. 1978, 112: 127～154

[12] Chesson, P. L. and T. J. Case. Overview: Nonequilibrium community theories: Chance, variability, history, and coexistence. In J. Diamond and T. J. Case, eds. Community Ecology. New York, Harper and Row. 1986, 229～239

[13] Clarke, K. C., et al.. Refining a cellular automaton model of wildfire propa－gation and extinction. Second International Conference/Workshop on Integrating Geographic Information Systems and Environmental Modeling, Breckenridge, CO. National Center for Geographic Information and Analysis. 1993

[14] Clements, F. E.. "Nature and structure of the climax." Journal of Ecology. 1936, 24: 252～284

[15] Costanza, R., et al.. Modeling spatial and temporal succession in the Atchafalaya/Terrebonne marsh/estuarine complex in South Louisiana. Estuarine Variability. (Douglas A. Wolfe, Ed.) New York, Academic Press. 1986, 387～404

[16] Costanza, R., et al.. "Modeling coastal landscape dynamics." BioScience. 1990, 40: 81～98

[17] Costanza, R., et al.. The Everglades Landscape Model (ELM): Summary Report of Task 1, Model Feasibility Assessment. (Project report). University of Maryland, Center for Environmental and Estuarine Studies, Chesapeake Biological Laboratory. 1992

[18] Costanza, R., et al.. Development of the Patuxent Landscape Model (PLM). (Project report). University of Maryland, Center for Environmental and Estuar – ine Studies, Chesapeake Biological Laboratory. 1993
[19] Costanza, R. and T. Maxwell "Spatial ecosystem modelling using parallel processors." Ecological Modelling. 1991, 58:159~183
[20] Cronshey, R. G., et al.. GIS – water quality computer model interface: A pro – totype. Second International Conference/Workshop on Integrating Geographic Information Systems and Environmental Modeling, Breckenridge, CO. National Center for Geographic Information and Analysis. 1993
[21] Cuddy, S. M., J. R. Davis and P. A. Whigham. An examination of integrating time and space in an environmental modelling system. Second International Conference/Workshop on Integrating Geographic Information Systems and Environ – mental Modeling, Breckenridge, CO. National Center for Geographic Information and Analysis. 1993
[22] D'Agnese, F. A., A. K. Turner, C. C. Faunt. Using geoscientific informa – tion systems for three – dimensional regional ground – water flow modeling in the Death Valley region, Nevada and California. Second International Conference/Workshop on Integrating Geographic Information Systems and Environ – mental Modeling, Breckenridge, CO. National Center for Geographic Information and Analysis. 1993
[23] DeAngelis, D. L., et al.. "Landscape Modeling for Everglades Ecosystem Restoration." Ecosystems. 1998, 1: 64~65
[24] DeAngelis, D. L., J. C. Waterhouse. "Equilibrium and Non Equilibrium Concepts in Ecological Models." Ecological Monographs. 1987, 57(1): 1~21
[25] Delcourt, H. R., P. A. Delcourt. Quarternary Ecology: A Paleoecological Perspective. London, Chapman and Hall. 1991
[26] DePinto, J. V., et al.. Development of GEO – WAMS: A modeling support system for integrating GIS with watershed analysis models. Second International Conference/Workshop on Integrating Geographic In formation Systems and Environmental Modeling, Breckenridge, CO. National Center for Geographic Information and Analysis. 1993
[27] DIAS. The Dynamic Information Architecture System: A High Level Architecture for Modeling and Simulation. Argonne, IL, Decision and Information Sciences Division, Argonne National Laboratory. 1995
[28] DMSO. DoD High Level Architecture, http://www.dmso.mil/projects/hla. 1996
[29] Ficks, B. Top 10 Watershed Lessons Learned. Washington, D.C., U.S. Environmental Protection Agency, Office of Water, Office of Wetlands, Oceans, and Watersheds. 1997
[30] Fleming, D. M., et al.. ATLSS: Across – Trophic – Level System Simulation for the Freshwater Wetlands of the Everglades and Big Cypress Swamp, National Biological Service. (Project report). University of TN, http://atlss.org/atlss.report. final.homestead694.txt. 1994
[31] Frederickson, K. E., et al.. A Geographic Information System/Hydrologic Modeling Graphical User Interface for Flood Prediction and Assessment. Campaign, IL, U.S. Army Corps of Engineers, Construction Engineering Research Laboratories. 1994
[32] Frysinger, S. P., et al.. Environmental decision support systems: An open architecture integrating modeling and GIS. Second International Conference/Workshop on Integrating Geographic Information Systems and Environmental Modeling, Breckenridge, CO. National Center for Geographic Information and Analysis. 1993

[33] Funtowicz, S. O., J. R. Ravetz. A new scientific methodology for global environmental issues. In R. Costanza, ed. Ecological Economics: The Science and Management of Sustainability. New York, Columbia University Press. 1991, 137~152

[34] Gardner, R. H., et al.. Simulation of the scale－dependent effects of landscape boundaries on species persistence and dispersal.. In M. M. Holland, P. G. Risser and R. J. Naiman, eds. The Role of Landscape Boundaries in the Management and Restoration of Changing Environments. New York, Chapman and Hall. 1991, 76~89

[35] Gardner, R. H., et al.. Ecological implications of landscape fragmentation. In S. T. A. Pickett and M. J. McDonnell, eds. Humans as Components of Ecosystems: The Ecology of Subtle Human Effects and Populated Areas. New York, Springer－Verlag. 1993, 208~226

[36] Gaur, N. and B. Vieux. r. fea. Oklahoma City. Campaign, IL, U. S. Army Corps of Engineers, Construction Engineering Research Laboratory. 1992

[37] Ghosh, A. and G. Rushton. Spatial Analysis and Location－Allocation Models. New York, Van Nostrand Reinhold. 1987

[38] Gilpin, M. E. Extinction of finite metapopulations in correlated environments. In B. Shorrocks and I. R. Swingland, eds. Living in a Patchy Environment. Oxford, Oxford University Press. 1990, 177~186

[39] Goncalves, P. P., P. M. Diogo. Geographic information systems and cellular automata: A new approach to forest fire simulation. European Geographic Information － Systems (EGIS) Conference, Paris, France. EGIS Foundation. 1994, 701~702

[40] Hannon, B. M., M. Ruth. Dynamic Modeling. New York, Springer－Verlag. 1994

[41] Hannon, B. M., M. Ruth. Modeling Dynamic Biological Systems. New York, Springer－Verlag. 1997

[42] Hanski, I. "Single－species spatial dynamics may contribute to long－term rarity and commonness." Ecology. 1985, 66: 335~343

[43] Hanski, I., M. Gilpin. "Metapopulation dynamics: Brief history and conceptual domain." Biological Journal of the Linnean Society. 1991, 42: 3~16

[44] Hansson, L. "Dispersal and connectivity in metapopulations." Biological Journal of the Linnean Society. 1991, 42: 89~103

[45] Hastings, A. "Disturbance, coexistence, history and competition for space." Theoretical Population Biology. 1980, 18: 363~373

[46] Hay, L., L. Knapp, J. Bromberg. Integrating geographic information systems, scientific visualization systems, statistics, and an orographic precipitation model for a hydro－climatic study of the Gunnison River basin, sourthwestern Colorado. Second International Conference/Workshop on Integrating Geographic Information Systems and Environmental Modeling, Breckenridge, CO. National Center for Geographic Information and Analysis. 1993

[47] Heathcote, I. W.. Integrated Watershed Management: Principles and Practice. New York, Wiley. 1998

[48] Hiebler, D. The SWARM simulation system and individual－based modeling. Decision Support 2001: 17th Annual Geographic Information Seminar and the Resource Technology '94 Symposium, Toronto, Ontario, Canada. (J. M. Power, M. Strom, T. C. Daniel, Eds.). Bethesda, MD, American Society for Photogrammetry and Remote Sensing. 1994, 474~494

[49] Horn, H. S., R. H. MacArthur. "Competition among fugitive species in a harlequin environment." Ecology. 1972,53:749~752

[50] Johnson, A. R.. Spatiotemporal Hierarchies in Ecological Theory and Modeling. Second International Conference/Workshop on Integrating Geographic Information Systems and Environmental Modeling, Breckenridge, CO. National Center for Geographic Information and Analysis. 1993

[51] Kessell, S. R. The integration of empirical modeling, dynamic process modeling, visualization and GIS for bushfire decision support in Australia. Second International Conference/Workshop on Integrating Geographic Information Systems and Environmental Modeling, Breckenridge, CO. National Center for Geographic Information and Analysis. 1993

[52] Kingsland, S. E.. Modeling Nature. Chicago, University of Chicago Press. 1985

[53] Kinsel, W. G.. " CREAMS: A Field Scale Model for Chemicals, Runoff, and Erosion from Agricultural Management Systems. Washington, D.C. U.S. Department of Agriculture. Conservation Research Report #26. 1980

[54] Kirtland, D., et al.. "An Analysis of Human - Induced Land Transformations in the San Francisco Bay/Sacramento Area." World Resource Review. 1994,6: 206~217

[55] Krummel, J. R., et al.. A technology to analyze spatiotemporal landscape dynamics: Application to Cadiz Township (Wisconsin). Second International Conference/Workshop on Integrating Geographic Information Systems and Environmental Modeling, Breckenridge, CO. National Center for Geographic Information and Analysis. 1993

[56] Leavesley, G.. The Modular Modeling System. Denver, CO, U.S. Geological Survey. 1996

[57] Leavesley, G. H., et al.. The Modular Modeling System - MMS: User's Manual. Denver, CO, U. S. Geological Survey. 1995

[58] Levin, S. A. Ecology in theory and application. In S. A. Levin, R. G. Hallam, and L. J. Gross, eds. Applied Mathematical Ecology. Berlin, Springer - Verlag. 1989,3~8

[59] Levins, R. "Some demographic and genetic consequences of environmental heterogeneity for biological control." Bulletin of the Entomological Society of America. 1969,15: 237~240

[60] Levins, R. and D. Culver. "Regional coexistence of species and competition between rare species." Proceedings of the National Academy of Sciences of the United States of America. 1971,68: 1246~1248

[61] Loucks, O. L.. "Evolution of diversity, efficiency, and community stability." American Zoologist. 1970,10: 17~25

[62] Loucks, O. L., et al.. Gap processes and large - scale disturbances in sand prairies. In S. T. A. Pickett et al., The Ecology of Natural Disturbance and Patch Dynamics. New York, Academic. 1985,71~83

[63] MacArthur, R. H., E. O. Wilson. The Theory of Island Biogeography. Princeton, NJ, Princeton University Press. 1967

[64] MacLennan, B. J. "Continuous spatial automata." University of TN, Knoxville, Department of Computer Science Technical Report CS - 90 - 121, 1990

[65] Maxwell, T.. Distributed Modular Spatial Ecosystem Modeling. http://kabir.umd.edu/SMP/MVD/CO.html, University of Maryland. 1995

[66] May, R. M. "The search for patterns in the balance of nature: Advances and retreats." Ecology. 1986. 67: 1115~1126

[67] McLendon, T., et al.. A Successional Dynamics Simulation Model as a Factor for Determination of Training Carrying Capacity of Military Lands. Champaign, IL. U.S. Army Corps of Engineers, Construction Engineering Research Laboratory. 1998
[68] Minar, N.. SWARM Web Pages. http://www.santafe.edu/projects/swarm/, Santa Fe Institute. 1995
[69] Mitasova, H., et al.. Multidimensional Soil Erosion/Deposition Modeling and Visualization Using GIS. Urbana－Champaign, IL, University of Illinois. 1998
[70] Mladenhoff, D. J., et al.. LANDIS: A spatial model of forest landscape disturbance, succession, and management. Second International Conference/Workshop on Integrating Geographic Information Systems and EnvironmentalModeling, Breckenridge, CO. National Center for Geographic Information and Analysis. 1993
[71] Nee, S. and R. M. May. "Dynamics of metapopulations: Habitat destruction and competitive coexistence." Journal of Animal Ecology. 1992, 61: 37～40
[72] O'Neill, R. V., et al.. A Hierarchical Concept of Ecosystems. Princeton, NJ, Princeton University Press. 1986
[73] O'Neill, R. V., et al.. "Indices of landscape pattern." Landscape Ecology. 1988, 1: 153～162
[74] O'Neill, R. V., et al.. "A hierarchical framework for the analysis of scale." Landscape Ecology. 1989, 3: 193～206
[75] O'Neill, R. V., et al.. "A hierarchical neutral model for landscape analysis." Landscape Ecology. 1992, 7: 55～61
[76] Oppenheim, N., R. Oppenheim. Urban Travel Demand Modeling: From Individual Choices to General Equilibrium. New York, Wiley. 1995
[77] Overton, W. S. A Strategy for Model Construction. In C. A. S. Hall and J. W. Day, eds. Ecosystem Modeling in Theory and Practice: An Introduction with Case Studies. New York, Wiley. 1977, 49～73
[78] Owen, S. J., et al.. "A Comprehensive Modeling Environment for the Simulation of Groundwater Flow and Transport." Engineering with Computers. 1996, 12: 235～242
[79] Pickett, S. T. A., et al.. "The ecological concept of disturbance and its expression at various hierarchical levels." OIKOS. 1989, 54: 129～136
[80] Posavac, E. J., R. G. Carey. Program Evaluation: Methods and Case Studies. Englewood Cliffs, NJ, Prentice－Hall. 1989
[81] Price, D. L., et al.. The Army's Land Based Carrying Capacity. Champaign, IL, U.S. Army Corps of Engineers, Construction Engineering Research Laboratory. 1997
[82] Ran, B., D. E. Boyce. Modeling Dynamic Transportation Networks: An Intelligent Transportation System Oriented Approach. New York, Springer－Verlag. 1996
[83] Ray, T. Tierra Simulator V4.1. http://alife.santafe.edu/pub/SOFTWARE/Tierra, Sana Fe Institute. 1994
[84] Ray, T. S. "An evolutionary approach to synthetic biology: Zen and the art of creating life." Artificial Life. 1994, 1: 195～226
[85] Reice, S. R.. "Nonequilibrium determinants of biological community structure." American Scientist. 1994, 82: 424～435
[86] Rewerts, C. C., B. A. Engel. ANSWERS on GRASS: Integrating a watershed simulation with a GIS. St. Joseph, MI, American Society of Agricultural Engineers. 1991

[87] Risenhoover, K. L.. Deer Management Simulator. College Station, TX, Texas A&M University. 1997

[88] Risenhoover, K. L., et al.. A spatially－explicit modelling environment for evaluating deer management strategies. In W. J. McShea, H. B. Underwood, and J. Rappole, eds. The Science of Overabundance in Deer Ecology and Population Management. Washington, D. C., Smithsonian Institution Press. 1997,366～379

[89] Rittel, H. W. J., M. M. Webber. "Dilemmas in a General Theory of Planning." Policy Sciences. 1973,4: 155～169

[90] Robinson, G. R., et al.. "Diverse and contrasting effects of habitat fragmentation." Science. 1992, 257: 524～525

[91] Rothermel, R. C. A Mathematical Model for Predicting Fire Spread Rate and Intensity in Wildland Fuels. USDA Forest Service Research Paper. Washington, D.C., U.S. Department of Agriculture, Forest Service. 1972

[92] Saaty, R. W. "The Analytic Hierarchy Process－What it is and how it is used."Mathematical Modeling. 1987,9: 161～176

[93] Saghafian, B. Implementation of a distributed hydrological model within Geographical Resources Analysis Support System (GRASS). Second International Conference/Workshop on Integrating Geographic Information Systems and Environmental Modeling, Breckenridge, CO, National Center for Geographic Information and Analysis. 1993

[94] Singh,V. P., ed. Computer Models of Watershed Hydrology. Highlands Ranch, CO, Water Resources Publications. Slatkin, M. (1974). "Competition and regional coexistence." Ecology. 1995,55: 128～134

[95] Srinivasan, R.. Spatial Decision Support System for Assessing Agricultural Non－Point Source Pollution Using GIS. (Ph.D. dissertation) Purdue Univ, West Lafayette. 1992

[96] Stommel, H. "Varieties of oceanographic experience." Science. 1963, 139: 572～576

[97] Thau, R. S.. MIT Artificial Intelligence Laboratory. http://www.ai.mit.edu, Massachusetts Institute of Technology. 1995

[98] Tilman, D. and J. A. Downing. "Biodiversity and stability in grasslands." Nature. 1994, 367: 363～365

[99] Tomlin, C. D. Cartographic modelling. In D. J. Maguire, Michael F. Goodchild, and David W. Rhind, eds. Geographical In formation Systems: Principles and Applications. London, Longman Scientific. 1991,341～374

[100] Trame, A.－M., et al. The Fort Hood Avian Simulation Model: A Dynamic Model of Ecological Influences on Two Endangered Species. Champaign, IL, U.S. Army Corps of Engineers, Construction Engineering Research Laboratories. 1997

[101] Turner, M. G.. "Landscape ecology: The effect of pattern on process."Annual Review of Ecology and Systematics. 1989,20:171～197

[102] Turner, M. G., et al.. "Predicting across scales: Theory development and testing." Landscape Ecology. 1989,3 (314): 245

[103] Urban, D. L., et al.. "Landscape ecology, a hierarchical perspective." BioScience. 1987,37: 119～127

[104] Urban, D. L., et al.. (1991). "Spatial applications of gap models." Forest Ecology and Management

42: 95～110

[105] Vieux, B. E., et al.. Integrated CIS and distributed stormwater modeling. Second International Conference on Geographic Information Systems and Environmental Modeling, Breckenridge, CO. National Center for Geographic Information Analysis. 1993

[106] Vieux, B. E., J. Westervelt. Finite element modeling of storm water runoff using GRASS GIs. Computing in Civil Engineering and Geographic Information Systems Symposium, Dallas, TX. (Barry J. Goodno & Jeff R. Wright, Eds.) Reston, VA, American Society of Civil Engineers. 1992, 712～719

[107] Walde, S. J.. "Patch dynamics of a phytophagous mite population: Effect of number of subpopulations." Ecology. 1991, 72: 1591～1598

[108] Whigham, P. A., J. R. Davis. Modelling with an integrated GIS/expert system. Procedings of the ESRI User Conference, Palm Springs, CA. Redlands, CA, Environmental Systems Research Institute. 1989

[109] Wiens, J. A., et al.. Overview: The importance of spatial and temporal scale in ecological investigations. In J. Diamond and T. J. Case, eds. Community Ecology. New York, Harper and Row. 1986, 145～153

[110] Wischmeier, W. H., D. D. Smith. Predicting Rainfall Erosion Losses – A Guide to Conservation Planning. Washington, D.C., U.S. Department of Agriculture. 1978

[111] Wu, J. "A spatial patch dynamic modeling approach to pattern and process in an annual grassland." EcologicalMonographs. 1994, 64: 447～464

[112] Wu, J., et al.. "Effects of patch connectivity and arrangement on animal metapopulation dynamics: Asimulationstudy." Ecological Modelling. 1993, 65: 221～254

[113] Wu, J., O. L. Loucks. "From balance of nature to hierarchical patch dynamics: a paradigm shift in ecology. The Quarterly Review of Biology. 1995, 72: 439～466

[114] Yaeger, L.. Computational Genetics, Physiology, Metabolism, Neural Systems, Learning, Vision, and Behavior or PolyWorld: Life in a New Context. Cupertino, CA, Apple Computer, Inc. 1993

[115] Young, R. A., et al.. "AGNPS: A nonpoint – source pollution model for evaluating agricultural watersheds." Journal of Soil and Water Conservation. 1989, 44: 168～173

附　　录

流域和农业土地模型索引

http://www.agralin.nl/camase/

CAMASE,农业系统和环境研究中的定量方法发展与测试协同行动

ftp://ftp.epa.gov/epa_ceam/wwwhtml/products.htm

美国环境保护署(EPA)暴露危害评价建模中心

http://www.cee.odu.edu/cee/model/

弗吉尼亚大学市政与环境模型库

http://dino.wiz.uni－kassel.de/ecobas.html

生态模型注册:卡塞尔大学的生态建模万维网服务器

http://hydromodel.com/duan/hydrology/

指向万维网上的大量水文建模资源

http://owww.cecer.army.mil/ll/landsimsurvey/homepage.html

美国陆军工程兵团的景观/流域模型与建模环境数据库

http://www.wcc.nrcs.usda.gov/water/quality/common/h2oqual.html

美国国家水与气候中心报道:“水,田间以及流域尺度的计算机模型,田间和点评价工具,以及正处于开发中的工具”

http://www.scisoftware.com/products/prod_alpha/prod_alpha.html

科学软件集团所提供的众多商业化模型,依字母顺序排列

http://water.usgs.gov/software

美国地质调查局的公共领域软件数据库,许多模型已编译

http://www.waterengr.com/

流域资源咨询服务

文献数据库

http://www.nal.usda.gov/ttic/tektran/

农业研究服务局的技术转让自动检索系统

模型比较

http://web. aces.uiuc.edu/sriit/watershed/

伊利诺斯州流域管理信息交换中心

http://www.wcc.nrcs.usda.gov/water/quality/common/swf.html

田间尺度的水质模型

http://tsc.wes.army.mil/downloadtracking/DownloadData.asp? PID=75

土壤侵蚀模型纵览